MESSI

ARIEL SENOSIAIN

MESSI
O gênio completo

EDITORA HÁBITO
Avenida Recife, 841 — Jardim Santo Afonso — Guarulhos, SP
CEP 07215-030 — Tel.: 0 xx 11 2618 7000
atendimento@editorahabito.com.br — www.editorahabito.com.br

■ **MESSI: O GÊNIO COMPLETO**
©2020, Ariel Senosiain
Originalmente publicado em espanhol sob o título: *Messi, el genio completo*
Publicado com autorização contratual com
Grupo ILHSA para seu selo Editorial El Ateneo
(Patagones 2463 (CP 1282) Buenos Aires, Argentina)

Todos os direitos em língua portuguesa reservados no Brasil à Editora Hábito.

PROIBIDA A REPRODUÇÃO POR QUAISQUER MEIOS, SALVO EM BREVES CITAÇÕES, COM INDICAÇÃO DA FONTE.

■ Todas as citações foram adaptadas segundo o Acordo Ortográfico da Língua Portuguesa, assinado em 1990, em vigor desde janeiro de 2009.

■ Todos os grifos são do autor.

Editor responsável: Gisele Romão da Cruz
Editor-assistente: Amanda Santos
Tradução: Alberto Dure
Revisão de tradução: Sônia Freire Lula Almeida
Revisão de provas: Andrea Filatro
Projeto gráfico e diagramação: Claudia Fatel Lino
Capa: Arte Hábito

■ **1. edição:** mar. 2022
1ª reimp.: maio 2022
2ª reimp.: maio 2023

Dados Internacionais de Catalogação na Publicação (CIP)
(Câmara Brasileira do Livro, SP, Brasil)

Senosiain, Ariel
　　Messi : o gênio completo / Ariel Senosiain ; tradução Alberto A. Dure. -- São Paulo : Editora Hábito, 2022.

　　Título original: *Messi, el genio completo*
　　Bibliografia.
　　ISBN 978-65-996667-5-9
　　e-ISBN 978-65-996667-4-2

　　1. Futebol - Argentina - História 2. Jogadores de futebol - Biografia 3. Messi, Lionel I. Título.

21-96349　　　　　　　　　　　　CDU-927.96334

Índices para catálogo sistemático:
1. Jogadores de futebol : Biografia 927.96334
Aline Graziele Benitez - Bibliotecária - CRB-1/3129

SUMÁRIO

Prólogo: completar o gênio — por Martín Caparros 7

1. Uma convocação 11

2. Uma expulsão 33

3. Lendas de uma troca 53

4. Bastidores de um gol 71

5. Relato de uma emoção alheia 89

6. Uma tarde ideal 109

7. Memórias de um troféu 127

8. Crônica de uma renúncia 147

9. Um jogo épico 165

10. Um pênalti que não entrou 185

MESSI — O GÊNIO COMPLETO

11. Cronologia de uma declaração...........................203

12. A realização de um sonho...............................223

Agradecimentos 243

Fontes consultadas....................................245

Bibliografia..247

PRÓLOGO
por Martín Caparros

Completar o gênio

O FUTEBOL É ESTRANHO: é uma coisa que só existe para que o enxerguemos, e fora do campo, caprichosamente opaco. Na realidade, passamos uma grande quantidade de horas da nossa vida analisando a esses senhores, a respeito dos quais não sabemos nada: nada além do que fazem com os pés e muito pouco com a cabeça. A respeito de Messi, menos ainda. Messi sempre foi um mistério: o mistério mais conhecido do planeta.

Messi já está há mais de quinze anos debaixo de intensos holofotes: desde que completou seus 18 anos, milhões de pessoas o acompanham sem parar. No entanto, ainda não sabemos quem ele é.

Messi são fatos, não palavras. Como tentaria explicar algum político: não olhem para o que eu falo; olhem para o que faço. O que ele faz — o que fez — é absolutamente extraordinário: acredito que ninguém jogou futebol como ele, com tamanha facilidade, com esse nível. Tornou, durante anos, possível o impossível, e mais: fez isso incrivelmente fácil. Sempre pensei — e já o escrevi há muito tempo — que lhe faltava talvez mais incerteza.

Algo claro na famosa disputa com Diego Armando Maradona: dois estilos tão diferentes.

Maradona era um concerto ousado de passes de calcanhar, canetas e toques de letra. O drible insuspeitado, a vitória épica: o mais incrível de ver em Maradona era que sempre inventava algo diferente quando parecia que fracassaria por ser impensável ou impossível, ou quando estava para perder e tropeçava, mas, no último momento, se refazia e atingia o objetivo. Maradona dava a impressão de jogar como vivia: à beira do abismo.

Tudo nele era desmedido e frágil; Messi é o contrário. Messi faz as coisas — as coisas mais inverossímeis — como se fossem as mais fáceis do mundo, como se dissesse que qualquer um pode fazer. Sua força é incrível — poderíamos dizer que literalmente fazia o que queria — era, ao mesmo tempo, seu ponto fraco: nunca terminava de nos convencer de que aquilo era genialidade; pareciam bobagens. Bastava ver Maradona para saber que o que fazia era heroico, extraordinário; bastava ver Messi para acreditar que o que fazia era sensato, normal.

Logicamente que não era, pois ninguém conseguiria fazer como ele. Eu costumava acreditar que possivelmente o teria beneficiado ao mostrar-se mais: jogar com mais dramaticidade, insinuar que não tinha o controle que tinha, injetar-se uma vacina do espírito de Diego. Não fazia isso: seu lugar de incertezas não estava nos pés, mas na camiseta. Lionel Messi, o maior, aquele que liderou uma das melhores equipes da história, que ganhou todos os títulos e recordes possíveis, fracassou — tentando usar a palavra correta — com a equipe da Argentina.

Este livro de Ariel Senosiain percorre as maneiras, os momentos, os mistérios, as razões: como o maior jogador da história brigou contra a história.

Messi, o gênio completo usa — com requinte, elegância, travessura — o atrativo do que é extraordinário. E nos relembra, sobretudo, como são comuns as histórias extraordinárias, e vice-versa. *O gênio completo* transborda de pequenas coisas: é o trabalho de alguém que queria conhecer uma pequena parte dessa pequena grande história que é a vida do melhor jogador do mundo; o autor investigou e investigou mais, e narra com encanto. *O gênio* é daqueles livros que dá vontade de citar por inteiro: cheio de dados, relatos e situações ao redor do futebol.

Por isso, ler este livro é prazeroso e é também, um exercício de saudosismo, do tempo que está indo embora. Possivelmente nunca mais encontraremos um garoto metade argentino, metade catalão, de cabelo comprido e cara de sonso, que vai nos convencer de que ele era sinônimo de futebol. Isso nunca mais acontecerá: estamos vendo seu desfecho.

Por isso, Ariel traz esta crônica. Investigou intensamente, o que envolve dúzias de conversas e entrevistas, relatadas aqui com uma narrativa espontânea, que a faz leve e agradável, com momentos que revelam ao leitor o que ele desconhecia, que explica o que ele não entendia. *Messi, o gênio completo* é uma trajetória pelos motivos de este gênio não ter atingido aquilo que outros, menos geniais, conseguiram.

Pelo menos até aquela Copa e aquela noite. Essa Copa, já tínhamos ideia, teria que ser a revanche de Leo Messi. Messi é um jogador absolutamente incomparável; Messi, além disso, já está mais de um ou dois anos sem finalizar bem a maioria de suas jogadas. No entanto, nessa Copa achou um novo modelo: e nessa Copa — e nessa noite mais do que nunca — o capitão argentino consagrou sua nova função na recuperação de bolas e de suporte moral. Aquela noite ele não conseguiu finalizar nenhuma jogada, mas correu atrás dos adversários e brigou por muitas bolas, nunca jogou a toalha, esbravejou, motivou e deixou bem claro o que queria. E, nessa jogada, aquela que teria que ser a jogada, terminou de arredondar sua nova imagem: com uma manobra perfeita deixou a bola com De Paul, recebeu a devolução e ficou sozinho cara a cara com o goleiro e em um lampejo quis ser Messi: quis deixá-lo espatifado no chão com um movimento de cintura, e o conseguiu, mas, quando tinha somente que empurrar suavemente, escorregou e caiu no chão.

Mais uma vez, não conseguiu finalizar a obra de arte, mas, dez minutos depois o jogo acabou, a Argentina ganhou, o Maracanã foi impactado, mas nem tanto, *La Albiceleste* pulava de alegria, o capitão se abraçava com todos. É curioso: agora que não é tão perfeito, ganha. *Messi, o gênio completo* é, ao final de contas, o mais puro retrato de um garoto que sofreu muito mais do que o necessário. Que possivelmente por sofrer o que sofreu conseguiu ser quem foi: porque não suportava a dor da derrota e, então, para sofrer um pouco menos, teve que ser muito mais que todos.

Capítulo 1

UMA CONVOCAÇÃO

1

— *Jorge, sou do departamento das seleções da AFA
(Associação do Futebol Argentino), estou ligando porque
temos interesse em convocar seu filho, Leonardo.*
— *O nome do meu filho é Lionel. Até que enfim o
convocaram, porque ele só quer jogar pela Argentina.*

O COMEÇO DE UMA HISTÓRIA é sempre impreciso e subjetivo. Até pode existir um conjunto de inícios, um ponto de partida fragmentado. Pode se estabelecer em diferentes momentos, desde aquela ligação com resposta positiva até esta proposta rejeitada:

— *Escuta, Leo. O treinador da seleção juvenil vai vir falar
com você. Você sabe que aqui na Espanha temos a categoria
Sub-16. Adianto que você deva estar ciente e possa se
preparar. Logicamente a decisão é sua.*

O começo também pode ser um procedimento meramente burocrático:

— *Amanhã tem um amistoso, jogo da Sub-20 da Argentina contra
o Paraguai, e você vai dirigir; será no campo do Argentinos
Juniors. Leva as planilhas da FIFA, porque temos que homologar
o jogo. Fique de olho em um baixinho que vai entrar no segundo
tempo e preste atenção porque ele precisa ser inscrito.
No dia seguinte, traz a planilha, como sempre, para o Colégio
de Árbitros. Depois nós a encaminhamos por fax à Zurich.*

Ou talvez seja uma indicação que o protagonista ouviria várias vezes, não como sugestão, mas como reclamação:

— *Pode jogar como no Barcelona.*

Diferentemente do que se poderia ouvir em incontáveis conversas de botecos, Lionel Messi representa o produto típico da Argentina. De época. É mais um dos tantos que, no começo do século, tiveram que mudar de lugar, de costumes e de amizades para desenvolver-se profissionalmente. Messi deixou a Argentina em setembro do ano de 2000, aos 13 anos de idade, antes de que milhares de conterrâneos seus pegassem o caminho do aeroporto da cidade de Ezeiza como saída da crescente crise econômica do país. Lógico que ele tinha outro alvo, mas deixar a própria terra pode chegar a qualquer um.

Já nesse momento aconteceram fatos mais conhecidos. A surpresa que causou nos testes realizados no Barcelona. A assinatura de algo parecido com um contrato feito em um guardanapo. O retorno a Rosário, sua cidade natal na Argentina, para esperar a ligação com a aprovação final. A convocação. A viagem definitiva com seus pais, seus dois irmãos e sua irmã, no dia 1º. de fevereiro de 2001. Seu choro durante todo o percurso. A falta de adaptação da irmã e consequentemente a separação de uma parte da família. Além disso, os desejos contínuos de ser reconhecido em sua terra natal.

Enquanto Messi subia nas categorias de base do Barcelona, na Argentina era completamente desconhecido. Não tinha conseguido participar de nenhum torneio nacional enquanto jogava no Newell's Old Boys,[1] por esse motivo o que se falava sobre ele se restringia a essa cidade. Na Espanha, logicamente, já chamava a atenção. Seu representante Fabián Soldini, que fez

[1] Clube de Rosário, sua cidade natal.

Uma convocação

parte de sua primeira viagem à Espanha, conta: "Leo prometeu não tomar Coca-Cola, sua grande tentação, até que fosse convocado pelos juvenis da Argentina". Mas o relacionamento não fluía de forma natural, quase como um prenúncio das dificuldades que ele enfrentaria durante sua trajetória com a seleção. Alguém deveria forçar esse contato.

Soldini mostrou uma edição de vídeo com suas jogadas a Claudio Vivas que, nesse momento, era assistente do Marcelo Bielsa na seleção principal. Naquele tempo, a apresentação não poderia ser obtida de outra maneira, a não ser através de um vídeo mostrando seu potencial. Com certeza, estes eram "os vídeos que enviava da Espanha para que me conhecessem", segundo relatou Messi em junho de 2019 no programa de TV TyC Sports. Soldini se lembra bem:

> Marquei um encontro com Vivas no bar Paso Sport, na Avenida Carlos Pellegrini e Paraguai, em Rosário. Como o Barça participava nas categorias de base em nível regional, a desconfiança que sempre vinha à tona era a de que ele fazia tudo aquilo que mostravam no vídeo pela falta de qualidade de seus rivais.

Logo depois, Vivas recebeu outro vídeo em VHS, em uma situação curiosa. Enquanto descansava no quarto do hotel Princesa Sofia, em Barcelona, durante uma turnê de visitas aos jogadores da seleção antes que ela fizesse 4x1 no Japão, em um amistoso de junho de 2003, apresentou-se a ele na recepção do hotel um homem trazendo material sobre Lionel Messi. A memória e seus deslizes produzem lacunas que constroem relatos desencontrados. Aquele homem, que ficou marcado na história, se apresentou supostamente com o nome de Jorge, o que deixou no ar a ideia de que possivelmente tivesse sido Jorge Messi, pai de Lionel. Mas a memória, em sua percepção mais detalhada, trata de pôr ordem na história.

MESSI — O GÊNIO COMPLETO

Uma foto ajuda Vivas que, enfim, pode reconhecer o homem em questão. A suposição se desvanece: aquela pessoa não se chamava pelo nome de Jorge, e sim Horácio. Era Horácio Gaggioli e se tratava de um agente de futebol de Rosário que trabalhava com Josep Minguella, ambos representantes de jogadores ligados ao Barcelona. Tanto Gaggioli como Minguella tinham assinado aquele pré-contrato, por assim dizer, naquele guardanapo.

Vivas mostrou o vídeo a Marcelo Bielsa, e Bielsa pediu para que ele mostrasse o vídeo na velocidade normal.

— Marcelo, o vídeo não está acelerado. Está em velocidade normal. Ele joga assim.

Messi, então, havia completado 16 anos de idade. Contava com um gol de vantagem que garantia a participação no Sub-17 da Finlândia, o qual poderia saldar a conta pendente de José Pékerman e Hugo Tocalli, então treinadores dos juvenis. Ao voltar para a Argentina, Vivas passou o material a Tocalli, treinador das seleções de base, que ficou perplexo assim como Bielsa: "Assisti ao vídeo, quatro, cinco jogadas foi o suficiente. Fiquei surpreso com a velocidade com que fazia tudo, não o convoquei porque não dava tempo. Em dez dias, partíamos para a Finlândia".

Omar Souto, antigo empregado da AFA, agregou:

> Nos deram um vídeo que parecia um comercial de televisão, fazia maravilhas. Hugo perguntou a alguns dos que moravam na Espanha se tinham ouvido falar dele: a Pékerman e a Eduardo Urtasún, diretor esportivo e preparador físico do time espanhol Leganés, e a Juan Pablo Sorín, que, nesse momento, jogava no Villarreal. E não tinham a mínima noção de quem se tratava.

Uma convocação

Tocalli dá detalhes:

> José não sabia quem ele era. Então, comentei com Javier Saviola, que estava no Barcelona, e ele me disse que tinha ouvido alguns comentários a respeito de um argentino, mas nunca o tinha visto.

O único integrante daquela seleção Sub-17 que o conhecia era o lateral esquerdo Lautaro Formica:

> Eu pertenço à categoria de 1986, Leo é da de 1987. Nós dois viemos do Newell's Old Boys. Quando jogávamos no juvenil, para nós era uma alegria vê-lo. Dois moleques detonavam: o Billy Rodas, que era da nossa categoria, e ele, na categoria inferior. Rodas fazia parte daquela seleção, mas teve uma lesão; nesse momento pensei que chamariam o Leo, mas convocaram o Fernando Gago.

O destino pregaria uma peça, pois Argentina e Espanha se enfrentariam nas semifinais dessa Copa do Mundo. A vitória ficou com os europeus e contou com a atuação de destaque de Cesc Fàbregas, companheiro de Messi no Barcelona. As duas seleções compartilhavam o mesmo hotel em Helsinque, Finlândia. Na noite seguinte, após o jogo, Tocalli recebeu um informante inesperado:

Foi o cozinheiro: "Escuta, Tocalli. Se você tivesse esse moleque do Barça, com certeza seria campeão", disse-me. Eu dei meia-volta para onde estavam sentados todos os espanhóis, incluindo José Maria Villar, presidente da Federação Espanhola de Futebol. "Não será o Messi, né?", perguntei. Todos me responderam em uníssono: sim. Juro que naquela noite não consegui pegar no sono; eu morreria se eles roubassem o nosso craque.

MESSI — O GÊNIO COMPLETO

O "moleque", com certeza, já havia dito não para a possibilidade de vestir a camisa espanhola. Vicente del Bosque, que poderia tê-lo dirigido na seleção principal, descreve Leo sem o ter conhecido:

> Eu o cumprimentei algumas vezes, mas não cheguei a ter muita proximidade. Sei que continua sendo um desses moleques que ficam doidinhos para jogar, na praça, na rua, ou onde quer que seja. Não perdeu sua essência, é feliz jogando futebol. Quem dera existissem muitos Messis neste futebol tão profissionalizado. Ele mantém o estilo de quem joga pelada na rua.

De Madri, Del Bosque concordou em dar uma entrevista, ainda que ele não fosse o responsável pela decisão. Os treinadores das seleções de base foram os que tentaram incluir aquele promissor argentino. Logicamente, ele conhecia os trâmites para se tornar parte da equipe. E sempre entendeu por que Messi rejeitara as convocações:

> Eu achei normal desde o começo. É verdade que chegou muito novo na Espanha, mas seu sentimento era esperar para representar seu país. Na Federação, com Ginés Meléndez à frente, fizeram de tudo para tê-lo.

Meléndez era o treinador da seleção espanhola Sub-16. Imaginava o futuro:

> Nossos olheiros em Barcelona nos contaram sobre ele quando tinha 14 anos. Fazia parte de uma grande geração do clube, que já contava com alguns: Piqué, Cesc Fàbregas, Toni Calvo, Riera, Valiente. Faltava somente ele, que era fantástico. Tínhamos certeza de que seria o jogador que é hoje, só precisávamos ter paciência e esperar que não se lesionasse. Seu treinador, Álex García, insistia para que jogasse na minha equipe.

García tinha dirigido Messi nos cadetes, quando tinha entre 14 e 15 anos de idade. "Fazia o que continua fazendo hoje", conta. "Eu disse a Ginés:

Uma convocação

'Temos um menino no Barça... Nunca vi nada igual'. Em todo caso, avisei a ele que acreditava que a resposta seria não: 'Sabe de onde vem' ", intuiu.

Meléndez foi ao ataque mesmo assim. García confessa que nem conseguiram insistir: "Foi apenas um bate-papo com Ginés. Acabou ali mesmo; Leo não mudaria de opinião". E descarta uma das principais lendas: "Nãoooo! De forma alguma lhe oferecemos dinheiro! As decisões do coração não têm preço".

A Copa do Mundo Sub-17 na Finlândia aconteceu no mês de agosto de 2003; entre novembro e dezembro houve a Copa do Mundo Sub-20 nos Emirados Árabes Unidos. Parecia que os espanhóis tinham mais vontade de que Messi jogasse com ele do que os próprios argentinos. Souto continua explicando:

> Sempre estávamos junto com os espanhóis. Durante a Copa do Mundo Sub-20 nos Emirados Árabes, saímos para caminhar com o delegado do clube Valencia e ele perguntou a Tocalli por que não tínhamos levado aquele garoto, que era melhor que todos os que tínhamos ali. Ao voltar para o hotel, Hugo não parava de se recriminar: "Como sou idiota! E ninguém me ajuda! Como fiquei sabendo pelos outros?".

Já havia muitos indícios. Suficientes para ativar o plano.

Em 30 de março de 2004, no estádio Monumental, em Buenos Aires, antes do 1x0 da seleção argentina contra o Equador pelas eliminatórias da próxima Copa do Mundo, ocorreu a seguinte conversa entre Tocalli e Julio Humberto Grondona:

> — Há um jogador fenomenal na Espanha. Temos que pagar a passagem e trazê-lo para jogar.
>
> — Villar me falou. O que você quer fazer?

MESSI — O GÊNIO COMPLETO

— Dois amistosos. Fazemos que ele jogue e assim o blindamos.

— Pode organizar. Depois eu me encarrego dos trâmites na FIFA.

Naquela época, bastava um jogo oficial em uma das seleções juvenis para que o futebolista não pudesse mais atuar pela seleção principal de outro país. O problema era que esse jogador em particular não era uma tarefa simples: ninguém na AFA tinha contato com ele. Ninguém o tinha visto.

Tocalli deu uma ordem a Omar Souto: "Encontre o Leo Messi". Eram tempos em que tudo era feito artesanalmente; o caminho foi longo, mas valeu a pena. Teve o sabor das grandes conquistas. Souto relembra a cronologia:

> Saí do complexo Ezeiza[2] e fui a uma cabine telefônica do bairro de Monte Grande que fica próximo dali. Pedi uma lista telefônica da cidade de Rosário, porque a única coisa que sabíamos é que ele era dessa cidade. Arranquei a página em que estavam os números dos Messis, fiz uma ligação da cabine para a minha casa para justificar que estava usando a cabine telefônica e voltei para o complexo Ezeiza com páginas na mão para tentar encontrá-lo. A primeira pessoa mais próxima que achei foi a avó do Leo, que me repassou o contato do tio, que me passou o contato do pai. Liguei para o pai, me apresentei e disse-lhe que desejávamos contar com o filho dele; com um detalhe, errei seu nome: sempre pensei que Leo fosse diminutivo de Leonardo.

Não era comum que a AFA pagasse uma passagem para que um juvenil viesse do exterior. A desculpa seriam dois jogos, um contra o Paraguai em Buenos Aires, na terça-feira dia 29 de junho, e o outro contra o Uruguai, na cidade de Colônia, no Uruguai, quatro dias depois. Messi se juntou a seus companheiros na sexta-feira, dia 25, um dia depois de

---

[2] Lugar onde há treinamentos e escritórios da AFA. [N. do T.]

Uma convocação

completar seu 17º aniversário; viajou até Rosário para passar o fim de semana com a família e retornou na segunda-feira dia 28.

> Tocalli nos avisou que tínhamos que participar de dois jogos pelo Leo. Na realidade, hoje é Leo para todos, mas naquele tempo sabíamos muito pouco sobre ele. A primeira impressão nos treinamentos é de que ele tinha a bola grudada no pé — lembra Pablo Zabaleta, um dos que estreitaram laços de amizade com Leo ao longo dos anos.

Estava assustado nos primeiros treinos", afirma Souto. "Sabíamos que alguém do Barcelona seria incluído no grupo, mas nada além disso", acrescenta Pablo Alvarado, integrante da equipe. "Eu me lembro que, durante um treino, ele fez um drible em mim, uma caneta de calcanhar que nunca tinha visto", acrescenta Federico Almerares, que, como centroavante, conseguiu ver de perto.

Luis Segura, então presidente do clube Argentinos Juniors e próximo do núcleo da AFA reconhece: "Não podíamos falar nada nesse momento, mas a única intenção do amistoso era garantir que o Messi ficasse. Veja que ninguém imaginava o que seria esse menino". Os adversários já tinham sido convidados, e a certificação de jogo oficial da FIFA já era um fato; o cenário não seria problema:

> Assim que o Julio (Grondona, presidente da AFA) iniciou a conversa, propus jogar em nosso campo. Tínhamos reinaugurado fazia pouco tempo. Para o clube se tornou uma ocasião épica: foi o primeiro jogo da história em que uma seleção argentina disputaria no bairro da Paternal, entre as ruas Agustín García e Boyaca.

Em 26 de dezembro de 2003 foi organizado algo parecido com um jogo de uma seleção juvenil no mesmo estádio do Argentinos Juniors: o Sub-20 tinha enfrentado um combinado de personalidades históricas do clube na reinauguração do estádio. Não seria o último evento desses tempos. Em 10 de agosto de 2004, ano do centenário do clube, um amistoso contra o River Plate serviu para batizar o estádio com o nome de Diego Armando Maradona, quarenta e dois dias antes que estreasse aquele que carregaria o peso desse nome.

A partida entre a Argentina e o Paraguai contou com alguns ingredientes. Os ingressos populares custavam 5 pesos; as cadeiras numeradas, 10. As estimativas de público presente oscilavam entre 200 e 500 espectadores, não mais que isso. As arquibancadas da rua Boyaca estavam vazias; via-se apenas, aproveitando que estavam frente às câmeras, bandeiras com os dizeres: "Força Kirchner, fora FMI". Era junho de 2004: a história que nunca termina.

"Passamos um frio lascado naquela noite", é a primeira lembrança de Souto. O compromisso não era muito convidativo: era um dia de semana normal, noite de inverno com previsão de chuva. E, para piorar, poderia ser visto ao vivo pela televisão. Os jornalistas da transmissão sabiam que o jogo poderia ter uma atração a mais.

> Nós descobrimos alguns dias antes que tínhamos que fazer a transmissão. Sabíamos que vinha um garoto que todos comentavam ser um fenômeno. Mas, se alguém se lembra daquele jogo hoje, é simplesmente por causa do que viria depois — conta o jornalista Héctor Gallo, que naquela noite estava há alguns metros do campo.

Antes do começo do jogo, fez comentários a respeito dos titulares, e depois disse:

> No banco de reservas tem um jogador que fará sua estreia. Vai jogar alguns minutos no segundo tempo. Lionel Messi, um garoto de Rosário que, aos 12 anos, foi levado para o Barcelona, para fazer a pré-temporada com a equipe catalã e que, aos 17 anos, tem uma cláusula de rescisão contratual, de, escute bem, 15 milhões de euros.

Uma convocação

Os jogadores paraguaios também ficaram sabendo dessa partida bem em cima da hora. O goleiro titular era Antony Silva, que uma década e meia depois faria parte do elenco do Huracán, time de Parque Patrícios, em Buenos Aires, Argentina:

> Foi tudo inesperado. Montaram o nosso time na maior pressa; alguns de nós nem pertencíamos mais a essa categoria, porque tínhamos participado da Copa do Mundo Sub-20 anterior. Sabíamos que havia um garoto que tinha a possibilidade de jogar pela Espanha e que supostamente era um fenômeno. E, sim, já nesse dia foi um fenômeno.

A mesma reação teve o juiz do jogo, Gabriel Brazenas: "Fui chamado um dia antes e me explicaram qual era o motivo do jogo. Sorte que tinha aquelas famosas planilhas da FIFA na minha casa. Se tem algo de que me arrependo é de não ter tirado uma foto".

Mario Quinteros, fotógrafo do jornal *Clarín*, contou ao jornalista Andrés Eliceche, da revista *Anfibia*, que chegou ao estádio com uma missão clara: "Não importa o jogo, o que importa é o Messi". Os fotógrafos normalmente não têm problemas em enfrentar situações que para outras pessoas gerariam certo desconforto. "Quem é esse tal de Messi?", perguntou Quinteros perto do banco de reservas. "Sou eu", respondeu aquele que era o motivo do jogo.

A foto nunca foi publicada. No jornal *Clarín* daquele 30 de junho, não havia espaço para nenhuma imagem no canto inferior destinado a uma matéria sobre o jogo. No dia anterior, para ver o anúncio do jogo era preciso ter uma lupa: dedicaram somente quatro linhas, junto à data de um jogo que determinava quem subiria para a terceira divisão e as incorporações do clube Los Andes.[3]

---

[3] Clube Atlético Los Andes, do bairro Lomas de Zamora, da grande Buenos Aires. [N. do T.]

A seleção reunia muitas promessas que seriam realidade e outras que sofreriam com as incertezas no mundo do futebol. Nereo Champagne seria goleiro do San Lorenzo de Almagro, em Buenos Aires, depois de ser transferido em 2012 do Olimpo de Bahía Blanca, interior de Buenos Aires, para o clube Leganés, da Espanha. Pablo Zabaleta jogou na Copa do Mundo de 2014 e depois atuou por doze anos no futebol da Inglaterra. Ezequiel Garay apenas completou 13 jogos no Newell's e 15 temporadas na elite do futebol europeu. Ricardo Villalba, que, nesse momento, estava nas bases do River Plate, passaria a maior parte de sua carreira no futebol da segundona. Lautaro Formica, que tinha conhecido Messi no infantil do Newell's, passaria pelo futebol grego e, em 2019, para a segundona com o clube Estudiantes de Río Cuarto (de Córdoba, Argentina). Juan Manuel Torres, que tinha estreado aos 17 anos no Racing, de Avellaneda, jogou seus últimos anos em diferentes locais: no clube Chaco for Ever, de Chaco, em 2016 e no clube Aktobe, do Cazaquistão, em 2017. Renée Lima, elegante meio-campista canhoto, não achou seu espaço no River Plate; em sua peregrinação internacional no ano de 2016, passou pelo clube Murciélagos, de Sinaloa, México. Matías Abelairas superou os 100 jogos no River Plate e jogou em campeonatos na Escócia, na Romênia e no Chipre. Pablo Barrientos já havia estreado no San Lorenzo de Almagro, de Buenos Aires, clube ao qual retornou outras duas vezes. Ezequiel Lavezzi, que se tornaria um dos amigos de Messi e que chegaria a ser titular na seleção principal na Copa do Mundo de 2014, foi negociado pelo Clube Estudiantes, de Buenos Aires, e transferido para o Genoa, da Itália. Pablo Vitti, depois de mostrar um bom futebol no Rosário Central, passou por uma dúzia de clubes em dez anos.

No banco de reservas, ao lado de Messi, estavam outros seis jogadores que tiveram diferentes finais no futuro. José Luis García, canhoto muito criativo que não chegou a mostrar todo o seu potencial no San

Uma convocação

Lorenzo de Almagro, mas que demostrou sua qualidade quando foi campeão no ano de 2011 com o clube Almirante Brown, de Buenos Aires. Federico Almerares, atacante raçudo que não se destacou no River Plate, mas fez carreira no futebol suíço. Franco Miranda, lateral esquerdo, que pararia na Suécia antes de passar por sete clubes argentinos. Pedro Joaquín Galván, meio-campista que, nesse momento, pertencia ao Gimnasia e Esgrima de La Plata, jogaria mais de uma década em times de Israel. Pablo Alvarado, campeão duas vezes com o San Lorenzo de Almagro. Por fim, o goleiro reserva Emiliano Molina, protagonista do fato mais doloroso que se pode lembrar daquela geração: um ano depois, logo depois de ser uma das figuras principais do Independente de Avellaneda em um jogo dos reservas contra o River Plate, perdeu a vida em um acidente automobilístico.

Lucas Biglia, que nesse momento fora transferido do Argentinos Juniors para o Independente de Avellaneda, era um dos mais visados da equipe. Não jogou exatamente por isso:

> Assisti ao jogo pela televisão. Tocalli tinha aproveitado o amistoso para convocar novos jogadores, como também para conhecer esse fenômeno. Tínhamos referências da época do Sub-17, e, por meio de Lautaro Formica, que, maravilhado, repetia: "Você vai ver do que é capaz de fazer com a bola".

Os jovens argentinos marcaram uma clara diferença diante dos rivais paraguaios naquela fria noite no bairro La Paternal. Sem Messi, a diferença futebolística era notória desde o começo do jogo. Aos 5 minutos, Barrientos converteu o primeiro gol da lavada que seria um 8x0 tão evidente como esperado. A fragilidade da defesa do Paraguai era notória em cada ataque. Barrientos, a grande estrela antes que Tocalli mexesse com o banco de reservas, deu o passe para o segundo gol ao Lavezzi, aos

MESSI — O GÊNIO COMPLETO

15 minutos, e marcou o terceiro aos 30. De pênalti, Garay fez o seu aos 34 do primeiro tempo. Messi assistia do banco; ao lado dele de Pablo Alvarado, que recorda: "Não me lembro de ele falar alguma coisa, nem sequer nos treinamentos".

> Quando acabou o primeiro tempo, eu pedi a Salorio (Gerardo, preparador físico) para fazê-lo aquecer em campo alguns minutos e ir ao vestiário antes que voltássemos para o segundo tempo. Terminei de falar com os jogadores e não sabia aonde ele tinha ido. Dei uma volta e o vi sentado atrás de mim, quieto — relembra bem Tocalli da cena.

Lembra também do que lhe pediu: "Pode jogar como no Barcelona. Entre como você se sentir mais à vontade".

Ainda que em muitas crônicas esportivas tenha sido escrito que Leo entrou no minuto 67, na verdade esse foi o momento da substituição de Almerares por Zabaleta. Messi tinha entrado no início do segundo tempo. Vestia a camisa número 17, de mangas longas que ficavam maiores nele do que nos demais. E com o cabelo cortado para a ocasião. Salorio tinha falado a ele que "quem não corta o cabelo, não joga na seleção argentina". (Um mês antes, o preparador físico tinha mandado para casa Fernando Cavenaghi e Maximiliano López, sem terem treinado, como repreensão pelo fato de terem chegado com os cabelos tingidos de verde em comemoração à vitória do campeonato pelo River Plate.)

Messi se movimentava por trás dos atacantes, fazendo de meia de armação que driblava mais do que armava. Mais ativo depois da saída de Barrientos e sempre agressivo, com a típica habilidade de seus primeiros anos, toda vez que avançava, deixava os rivais para trás. Ainda que quando dava passes, não era tão eficaz: 7 dos 18 lançamentos que fez foram interceptados pelos pés dos rivais. "Estava um pouco nervoso", declarou Lautaro Formica, seu amigo dentro da equipe. "Fisicamente não demonstrava nada demais, mas já nos tinha surpreendido com loucuras suas nos treinos", acrescenta Alvarado.

Além de tudo aquilo que o tempo registrou, era um desses jogos que é difícil encontrar palavras para analisar na transmissão. Um desses encontros em que os locutores precisam ser gênios para achar uma frase a fim de motivar não só a eles, mas a todos os expectadores. Por esse motivo, certa vez um empresário de televisão disse o seguinte: "A única coisa que peço é que nossos jogos entediantes sejam mais assistidos que os jogos entediantes da concorrência".

Pablo Giralt, narrador da partida pelo canal TyC Sports, promoveu, então, uma aposta entre seus companheiros para ver quem acertava o jogador que faria o quinto gol da Argentina. Isto pode dar até uma ideia de como era a diferença de qualidade entre os times. Rodrigo García Lussardi, porta-voz da seleção do Paraguai, não duvidou: "Vai ser feito gol contra de algum jogador paraguaio, um gol contra". Aos 25 minutos do segundo tempo, Messi cobrou um tiro livre com efeito típico dos canhotos que chutam de direita. Vitti somente triscou de cabeça e Andrés Pérez, meio-campista paraguaio, cabeceou para trás na direção do seu próprio gol: o quinto gol foi contra certamente.

Federico Almerares converteu o sexto gol, depois de receber o passe de Messi, driblou um rival e marcou. O sétimo foi a cena que todos esperavam, o beijo do final do filme. A canção preferida do público. O motivo que tinha feito todo esse cenário ser montado, expresso em uma jogada.

E essa jogada chegou depois de dois dribles, após outros dez que Messi tinha tentado durante os quarenta e cinco minutos: primeiro passou pelos zagueiros César Martínez (escapou de uma entrada dura que tentou deter a jogada) e Gabriel Ruiz, e, logo depois disso, driblou o goleiro Marco Almeda, que ficou estendido no chão. Os dribles que o Barcelona importou. "Messi não tem DNA do Barcelona. Messi passeava pela Masía[4] com a bola sem passá-la a ninguém", escreveu o espanhol Manuel Jabois.

> Isso vem de berço. Sempre quisemos que os nossos jogadores fossem naturais. Nunca lhes proibimos de se movimentarem, somente lhes ensinamos quando, e, no caso do Messi, sempre repeti à exaustão que é mais ligeiro com a bola que sem ela — descreveu Álex García.

Em 17 de outubro de 2003, Messi foi entrevistado pelo inesquecível jornalista Jorge "Topo" López para o jornal esportivo *Olé*, naquela que foi sua primeira entrevista para um meio de comunicação argentino. Ele reconhecia que estava aprendendo:

> Estou me mexendo rápido, tenho habilidade. Sou canhoto, mas algumas vezes bato bem com a direita. Na Espanha, aprendi a tocar mais de primeira. Os técnicos me falam que toque a bola de primeira; assim, o futebol fica mais rápido.

Giralt e o comentarista esportivo Oscar Martínez imortalizaram esse momento:

> — *Messi tem a bola. Messi vai, ele encara, ele joga sozinho. Vai, Messi, pode chutar que vai ser um golaço; Messi, chuta, que é um golaço; Messi, golaço, goooool!!!!.*
> — *Posso bater palmas, Giralt? Impressionante o de Messi. É aquilo que estávamos esperando e vocês que estão em*

---

[4] Centro de treinamento do Barcelona; ali todas suas bases têm o mesmo estilo e aprendem a jogar com o mesmo perfil. [N. do T.]

casa, não é? Ele vem com velocidade, carrega a bola perto do corpo e nunca perde o contato com ela. [...] Promessas para a seleção Argentina. Gol de Messi, o homem do Barcelona.

"Eu estava prestes a cortar a jogada antes que ele dominasse a bola, porque iam fazer uma substituição", gargalha Brazenas. É verdade: foi só o Messi receber a bola, e o juiz da partida viu que um jogador paraguaio estava caído no chão, mas não apitou; simplesmente deixou a jogada seguir, pois, nesse momento, o canhotinho já estava indo para cima dos rivais.

> Nos treinos não ia para cima, só recebia e passava, sempre com bom domínio. No gol ele me surpreendeu. Eu ia marcando o ritmo e os passes pelo meio, mas ele abandonou todos aqueles que vieram marcá-lo. Aí eu disse: "Oba, este vai ser um craque" — lembra Almerares.

Formica, que já naquele tempo tinha relações com o Newell's, disse:

> Me fez viajar no tempo, na época do futebol de salão do Newell's, quando pegava a bola e fazia o que queria. Quando chegou ao primeiro treinamento me deu um abraço e grudou em mim. Ele era recém-chegado; todos os demais já se conheciam. Quando fez o gol no Paraguai, eu me aproximei para parabenizá-lo e nós dois soltamos um sorriso maroto, cúmplice. Depois, a cada gol que marcava, eu me aproximava dele e lhe dizia: "Obrigado por voltar", exatamente como dizia a música do cantor Leo Mattioli que costumávamos escutar.

Ezequiel Garay, o capitão da equipe, recebeu o troféu que era entregue ao vencedor; um troféu simples, sem muita graça, que parecia mais de um campeonato da várzea que o de um jogo entre duas seleções, comprado dias antes por algum empregado da AFA. Foi entregue por Miguel Marotti, outro antigo funcionário dos escritórios da AFA, secretário de jornalismo e relações institucionais do clube Argentinos Juniors:

> Todo o entorno, antes do jogo, estava focado naquele garoto. O que vimos, os mais velhos que tivemos a experiência de quando Maradona estava lá no Argentinos Juniors, nunca o tínhamos visto. Mas naquele dia todos fomos pegos de surpresa.

Quatro dias depois, a seleção viajaria para a cidade de Colônia do Sacramento para jogar contra o Uruguai, o segundo amistoso programado por Grondona. Pablo Alvarado se lembra claramente:

> Quando íamos ao exterior, a AFA pagava 50 dólares a diária para cada jogador. Dessa vez, não tinham troco e me deram 100 para que dividisse com Messi. Eu falei que, assim que tivesse o troco, eu lhe daria a parte dele. Ele nem se preocupou; "fica tranquilo", me disse. Nunca consegui o troco: estou devendo 50 dólares a Messi.

Em 3 de julho de 2004, no estádio Alberto Supicci, de Colônia, Leo Também entrou em campo no segundo tempo. O jogo estava empatado em 1x1. Aos 3 minutos depois de entrar no jogo, fez o gol que já tinha feito e voltaria a fazer incontáveis vezes, entrando em diagonal e vindo da direita para o meio; depois garantiu o jogo com um toque de cabeça após um passe de Lavezzi e lhe devolveu a bola para que fizesse o quarto gol definitivo.

> Pékerman tinha visto o jogo contra o Paraguai pela televisão. Disse que imaginava que iríamos colocá-lo como titular no Uruguai. "Não posso, José. Já tenho o time montado e tenho que

Uma convocação

respeitar", respondi. Eu o fiz entrar no segundo tempo, e ele sozinho ganhou o jogo — lembra o treinador.

Aquele dia alguém da redação publicou na página web do jornal *Clarín* escreveu:

Tudo mudou no campo. Tocalli mandou Lionel Messi entrar no jogo, e o juvenil do Barcelona não decepcionou.

É óbvio que o redator não mediu as consequências da análise esportiva que fez. Além disso, era somente a segunda vez que Messi vestia a camisa da seleção, e pairava no ar uma pergunta: estaria ou não à altura das expectativas criadas? "Não decepcionou." Messi teria que conviver com essa naturalidade do sucesso ou com o peso da derrota. A crescente expectativa, a aceitação do que é extraordinário. Marcar dois gols e gerar outro em 45 minutos ou, então, decepcionar.

Capítulo 2

UMA EXPULSÃO

2

VILMOS VANCZÁK QUASE NUNCA simulou. Quase nunca fez um rival ser expulso. Quase nunca deixou seu nome registrado em uma jogada para a história. Quase nunca viu Lionel Messi. E quase nunca falou com um jornalista argentino. No entanto, fez tudo isso de uma tacada só.

Lateral esquerdo que vestiu 79 vezes a camisa da Hungria, seu país. Retirou-se a ponto de completar 35 anos, em 2008. "Enfrentei a Raúl, Beckham, van Nistelrooy, Robben, Cristiano e por sorte o Messi, o melhor", assim resume do lugar que mora hoje, em Felcsut, a 40 quilômetros de Budapeste, graças à possibilidade que nos permitem hoje ferramentas como o WhatsApp. Isso aconteceu no final de 2009, enquanto trabalhava como ajudante do técnico Miklós Benczés no Puskás Akadémia, o último estágio de sua trajetória. "Às vezes, sinto saudades do futebol dentro do campo. Por sorte pude começar a trabalhar imediatamente. Foi importante para a minha vida pessoal", reconhece. No dia seguinte, depois de pendurar as chuteiras, deixa um vazio difícil de preencher. Na idade em que muitos atingem estabilidade profissional, o jogador finda sua carreira.

Vanczák enfrentou Messi em 2005, exatamente o mesmo ano em que nos acostumamos a ver Leo com a camisa da Argentina; aquele da Copa do Mundo Sub-20 na Holanda, onde ele foi protagonista, artilheiro e campeão.

Aproveitando uma parada durante essa Copa, Julio Grondona, então presidente da AFA, viajou da Holanda até a concentração da seleção principal, que estava competindo na Copa das Confederações na Alemanha. Assim que chegou, sentou-se à mesa com parte da comissão técnica. O preparador físico era Eduardo Urtasún; ele tinha afinidade com o presente da AFA, uma vez que seu pai, Juan Carlos, era um dos fundadores do clube Arsenal de Sarandí.

— O que achou dos garotos? — perguntou Urtasún.

— Tem um rapaz que é impressionante. Depois de Diego, não tinha visto nada semelhante — foi a resposta de Julio.

Haviam passado poucos dias de outra conversa do Grondona, só que, dessa vez, com um dos integrantes do corpo técnico da seleção Sub-20. No primeiro jogo, o garoto que era tão promissor tinha entrado em campo no segundo tempo.

— *Porque o Messi não joga como titular?* — quis saber.

— *É menor que os demais, Julio. Vamos aos poucos com ele.*

— *Aos poucos, são vocês que vão voltar para Buenos Aires* — deixou escapar do seu jeito o presidente da AFA.

Para o segundo encontro, o treinador Francisco Ferraro o colocou como titular.

Não foi a única recomendação que motivou Ferraro a acelerar a inclusão do pequeno talentoso. Quatorze anos depois, Lucas Biglia, outro integrante daquele elenco campeão da Copa do Mundo Juvenil, nos revela uma história pouco conhecida:

> Tivemos uma reunião com o treinador e comentamos que o tínhamos visto fazer coisas muito interessantes. Estávamos todos, os 23 jogadores. Podíamos sentir que com ele seríamos diferentes. Desde que assumiu a titularidade, a autoestima do time aumentou.

Um mês após a coroação na Holanda, José Pékerman o inclui entre os 19 convocados que atuam no exterior para a seleção principal, que já

Uma expulsão

tinha marcado um amistoso contra a Hungria para o dia 17 de agosto. O jogo se realizaria em Budapeste, no estádio Ferenc Puskás. O jornalista Hernán Claus procurou Messi para que ele contasse ao jornal esportivo *Olé* o que lhe havia passado pela cabeça depois de ser convocado: "Estou tendo muita sorte; também tenho que agradecer à minha família", foram as declarações concisas de Leo enquanto se hospedava no hotel Westin Resort, na cidade chinesa de Macau, preparando-se para a partida de pré-temporada do Barcelona contra o Shenzhen Kaisa.

Os jogadores da seleção tinham algumas referências e poucos pontos em comum com aquele que fora convocado pela primeira vez.

> Um ano antes, enquanto eu fazia parte do clube Espanyol de Barcelona, um garoto tinha me cumprimentado em um restaurante. Ele me disse que fora jogador do Newell's, trocamos umas palavras e me esqueci dele. Até que voltei a encontrá-lo na viagem da seleção e o reconheci. Nos treinos, jogava como no quintal de sua casa — lembra Maximiliano Rodríguez.
>
> Eu já tinha uma ideia de quem era. Em novembro do ano anterior, Leo foi assistir ao jogo do Barcelona contra o Milan pela Champions League. Ele ainda não jogava e nesse dia eu estava no banco de reservas do Milan. No vestiário, perguntou por mim, eu o reconheci, dei a ele uma camisa e depois desse dia comecei a acompanhá-lo pela mídia — confessa, surpreso, Hernán Crespo.[1]

Creio que não escutei a voz dele naquela viagem. Mas os outros também não ouviram a minha", relembra Lisandro López, que faria seu segundo jogo dos sete que jogou pela seleção.

> Nos treinos, pudemos ver o mesmo a que tínhamos assistido pela televisão durante a Copa do Mundo Sub-20: ele voava.

---

[1] Em 2021, Hernán Crespo foi técnico do time do São Paulo. [N. do T.]

Quem não o segurava pela camisa ou fazia falta, não conseguiria detê-lo — reconhece Lucas Bernardi.

Queríamos que ele se sentisse à vontade! — afirma Juan Pablo Sorín, uma das principais referências da seleção de Pékerman. Tínhamos a grande responsabilidade de cuidar daquele que poderia se tornar, algum dia, o melhor jogador do mundo. Tínhamos visto como ele definia os jogos no juvenil e assumia a responsabilidade de bater os pênaltis na final.

Daniel Lagares escreveu no *Clarín* a respeito da intimidade daquele grupo:

À tarde, depois do almoço, enquanto as "grandes estrelas" (Sorín, Ayala, Heinze) e os "intermediários" (Lux, Leo Franco, Demichelis, Quiroga) festejavam a chegada de Hernán Crespo em um bate papo descontraído entre amigos, o garoto rosarino procurava seu lugar no imenso *lobby* do hotel, olhando em direção aos elevadores para ver se aparecia Zabaleta para que lhe fizesse companhia. Dava para ver que ainda não tinha coragem para se juntar aos "grandes".

Pablo Zabaleta tinha feito parte do grupo na Copa do Mundo da Holanda:

Como capitão daquela seleção Sub-20, tinha sentido a responsabilidade de fazê-lo se sentir à vontade. Não era fácil, mas conseguiu se adaptar graças à sua personalidade. Sempre teve um caráter supercompetitivo e, ao mesmo tempo, tinha um perfil incrivelmente tranquilo. Na concentração da seleção principal logicamente andávamos juntos. Para nós dois era um mundo novo.

Foi nessa reportagem ao *Clarín* que Messi disse que se sentia mais à vontade como "meio-campista", que ainda não sabia se durante essa temporada no Barcelona jogaria no time principal ou no time suplente,

Uma expulsão

mas lhe "deram o número 30 nas costas", e que "seria bom poder entrar um pouco que fosse e trocar uns passes com esses monstros".

Pékerman deixou no banco a promessa e entraram no gramado como titulares para enfrentar a Hungria: Leonardo Franco, Lionel Scaloni,[2] Roberto Ayala, Gabriel Heinze, Juan Pablo Sorín, Luis Gonzáles, Lucas Bernardi, Maxi Rodríguez, Andrés D'Alessandro, Lisandro López e Hernán Crespo.

Pode se dizer que a Hungria era um rival de terceiro nível. Um mês depois, perderia um jogo crucial em casa para a Suécia e terminaria em quarto lugar no grupo para as eliminatórias da Copa do Mundo da Alemanha, em 2006, que seria a quinta Copa do Mundo consecutiva da qual não participaria. Seu técnico era Lothar Matthäus, o lendário futebolista alemão que dá seu testemunho graças a seu assessor de imprensa: "Sabia que no banco de reservas da Argentina contavam com um jogador jovem e promissor. Tinham me falado de um garoto prodígio".

O juiz da partida foi o alemão Markus Merk, que também estava a par dos acontecimentos:

> Qualquer pessoa ligada ao mundo do futebol sabia da joia que estava sentada no banco e que poderia fazer sua estreia internacional. Logicamente, jamais poderia imaginar o que aconteceria depois.

Naquela tarde ensolarada de Budapeste, a Argentina tomou a iniciativa, ainda que tenha precisado lançar várias bolas aéreas para converter.

---

[2] Treinador da Argentina em 2021. [N. do T.]

Aos 18 minutos, Sorín fez um cruzamento perfeito, Rodríguez aproveitou com sua incrível capacidade para estar no lugar certo e na hora certa. Maxi já se destacava por sua intuição e sua atenção constantes durante a jogada e por sua vocação goleadora, mesmo com dois atacantes na área, Lisandro López e Crespo.

Contudo, passada meia hora de jogo, em uma jogada de ataque dos húngaros e com uma falha na defesa da seleção de Pékerman, Roberto Ayala correu atrás de um dos atacantes rivais em vez de desacelerar e deixá-lo à frente. O atacante de 1,85m, Sándor Torghelle, que, nessa época, jogava na única temporada da qual participou no futebol inglês (pelo Crystal Palace), igualou o placar.

O jogo foi desempatado somente aos 16 minutos do segundo tempo. D'Alessandro cobrou um escanteio justo na linha do pênalti e por trás apareceu Gabriel Heinze. A cabeçada, forte, foi imparável para Gábor Király, famoso goleiro por jogar com calças de moletom cinza, em estilo *jogger*.

Na transmissão, pareceu que Pékerman fez sinais que indicavam a entrada de Messi, logo após o segundo gol. Na realidade, ele o tinha chamado alguns minutos antes. De fato, Leo não viu a cabeçada de Heinze, porque exatamente nessa hora estava vestindo a camisa, passando-a pela cabeça. Pékerman lhe deu algumas informações durante uns 40 segundos, depois se aproximou de Tocalli durante outros 20 segundos e, antes de ele entrar em campo, o técnico voltou a dar indicações durante mais 10 segundos, perfazendo um total de 1 minuto e 10 segundos de orientações, uma proporção exagerada se tivermos em conta o que seria sua apresentação em campo.

Na Hungria não era somente Matthäus que tinha informações de quem poderia entrar em campo:

Uma expulsão

> Antes da partida, todos falavam especialmente de um garoto da equipe. Falavam que era muito bom, mas não sabíamos de quem se tratava. Mal entrou e mostrou sua qualidade. Logo entendi que estávamos diante de um grande talento. Pena que nesse dia ele não teve muito tempo para jogar — se apressa a dizer Vilmos Vanczák.

Aos 18 minutos e 15 segundos desse complemento, Messi entrou no lugar de Lisandro López. Havia acabado de completar 18 anos e usava a camisa 18. Hugo Tocalli foi quem lhe deu alguns conselhos: "Sempre jogamos de maneira simples com Pékerman. Eu lhe disse simplesmente para ver se poderia entrar pela direita, mas, se tivesse que se mover atrás do 9, que também o fizesse".

Quando entrou em campo, tudo ficou claro: todos os relatos da imprensa durante a semana anterior apontavam a coincidência com o rival. Diego Maradona também havia estreado contra a Hungria na seleção principal. No caso deste, tinha 16 anos e 4 meses de idade e usou a camisa número 19. Em 27 de fevereiro de 1977, na Bombonera, a recomendação de César Luis Menotti foi similar à de Tocalli: "Faça o que sabe e movimente-se por todo o campo", foram suas palavras antes de fazê-lo entrar no lugar de Leopoldo Jacinto Luque com o placar de 5x1 para a Argentina, que seria o placar final.

Desde a entrada de Messi, tudo foi tão rápido como efêmero naquela tarde em Budapeste. Leo cumprimentou Lisandro ao entrar, recebeu uns tapinhas nas costas de Lucas Bernardi (como jeito de dizer para que ele jogasse sem preocupações, apenas para que desfrutasse do jogo) e jogou pela direita. Pronto para mostrar o que sabia, e não decepcionou.

"Toquei duas vezes na bola", é a lembrança atual de Messi. Na realidade, foram três. Sua primeira participação, logo que entrou, foi um passe para trás até Scaloni, que jogava na lateral. Logo tentou se ajuntar com D'Alessandro mais pelo meio. Aberto, por detrás do 9, as duas exigências que lhe tinham feito. Antes de chegarem aos 19 minutos, Bernardi o buscou na intermediária:

> O que mais queríamos era vê-lo, que entrasse no jogo. Assim como não sabíamos o que aconteceria ao longo dos anos, também não poderíamos imaginar que esse passe ficaria na história.

Sem ter um extrema-direita para marcar, Vilmos Vanczák deveria vigiar Messi. Com a inércia de uma defesa que só retrocedia para se defender, tinham deixado espaço para que Messi pudesse receber e girar. Mas antes que pudesse dar o quarto passo em sua arrancada, Vanczák o segurou pela camisa. Sem pensar em outra coisa além de continuar com a bola, Messi esticou os braços para atrás para se soltar do puxão; na sequência, o primeiro braço mal tocou no peito do defensor rival e o segundo atingiu o pescoço. Vanczák simulou que tinha recebido uma pancada no rosto. Ficou estirado no gramado com boca para cima, tocou o rosto e olhou a mão, para ver se estava sangrando.

Depois de uma década e meia, o vilão daquela história relembra o momento:

> Recebeu a bola e me driblou muito rápido. Pensei que tinha que pará-lo e o puxei para atrás. Tentou escapar e deu um golpe. Para dizer a verdade, me tocou um pouco, mas agi como se tivesse me batido com muita força. Não era para cartão vermelho.

Sorín, Scaloni, Bernardi e Heinze não conseguiram mudar a opinião nem a decisão de Merk. Nem D'Alessandro, que era jogador do Wolfsburgo, da Alemanha, e sabia falar alemão, conseguiu dizer-lhe

Uma expulsão

que estava tomando uma decisão precipitada e até perguntou se estava querendo aparecer. Os demais companheiros não sabiam como detê-lo.

> A primeira coisa que fiz foi olhar para o juiz. E o vi muito fechado. Fiquei pensando se ele queria se exibir expulsando uma futura estrela mundial. Tínhamos tentado falar em todos os idiomas possíveis: inglês, espanhol, o que vinha na cabeça. Ficamos ao redor dele. Explicávamos que nem sequer tinha reagido, simplesmente tinha tentado tirar de cima dele o rival que o estava segurando com o braço. Merk não queria nem dialogar. "Vai se arrepender", gritavam, mas não teve jeito.

Relata Sorín, que se lembra da cena como se fosse hoje: "Não conseguíamos fazê-lo entender que era injusto e que estava expulsando um garoto. Eu lhe disse quatro ou cinco palavras em inglês e outras besteiras", acrescenta Bernardi.

Aos 19 minutos e 45 segundos daquele segundo tempo, 1 minuto e meio depois de entrar em campo, o juiz advertiu Vanczák e expulsou Messi.

Na transmissão ao vivo para a Argentina não chegou a se escutar o sobrenome de um dos protagonistas:

— Ele não fez nada — comentou Alejandro Fabbri depois que repetiram o lance na transmissão ao vivo nos estúdios da TyC Sports.

— Se houve uma agressão, foi no peito... — acrescentou Walter Nelson. E continuou: — Não me diga que vai expulsar os dois... Deram pontapés no Maxi Rodríguez e ele nem sequer advertiu... Ele vai expulsar o Messi e o jogador húngaro, anota aí. Os jogadores estão desesperados tentando fazê-lo entender que não pode expulsá-lo; não dá para acreditar.

MESSI — O GÊNIO COMPLETO

— Por que vai expulsá-lo?

— Se ele não der cartão amarelo, é vermelho, com certeza. Não, amarelo, bom... Amarelo para... E vermelho para Messi, viu? Não dá para acreditar. A raiva que ele tem...

A jogada adquiriu importância com o tempo e com a dimensão que o expulsado tomou. Para a imprensa húngara foi só mais uma jogada, sem maior repercussão para analisar após o jogo. E o que não fizeram na hora, muito menos o fizeram depois: "No meu país, ninguém se lembra da jogada. Mas no *YouTube* aparece no ato, é só colocar o meu nome. Várias vezes me perguntaram se esse homem realmente sou eu", conta Vanczák, que nunca teve que dar explicações sobre aquele momento. Até agora:

> Eu não era um jogador assim. E digo mais, não quis simular para que expulsassem o Messi. Estava mais preocupado que mostrassem um cartão para mim. Simulei para evitar o meu cartão, não para provocar o dele.

A verdade é que a expulsão do Messi não nasceu somente de uma simulação, inédita para quem fingiu, mas também como forma de evitar o próprio castigo.

Lothar Matthäus é a voz discordante:

> O cartão vermelho era justificado. Ele deu uma cotovelada em um dos meus jogadores. Evidentemente queria mostrar seu potencial, pois vi a tristeza nos olhos quando teve que deixar o gramado. Parecia decepcionado consigo mesmo.

Markus Merk, outro vilão da história, ou aquele que deveria desmascarar o enredo e não o fez, tinha sido escolhido pela Federação

Uma expulsão

Internacional de História e Estatísticas do Futebol como o melhor juiz do mundo no ano de 2004. A polêmica expulsão daquele jovem promissor não o impediria de repetir a façanha em 2005.

Segundo escreveu Luis Calvano ao jornal esportivo *Olé*, Merk somente se limitou a dizer "*No comment*" quando os jornalistas o abordaram na saída do vestiário, interessados em saber o que tinha visto para expulsar o convidado de honra da festa. O tempo ajeita, suaviza e permite o diálogo. Agora, a insistência, sim, gera frutos: Merk responde.

Dentista de profissão e com uma trajetória de 19 anos como árbitro de futebol, mora em Otterbach, município localizado no distrito de Kaiserslautern, cuja população é menor que 5 mil habitantes. Em sua cidade, ele se refere àquela jogada que ficaria na história: "Até hoje me criticam por aquela decisão. Ainda me emociono por ter arbitrado aquela partida".

No seu caso, ele pede para que a conexão seja através de *e-mail*. E a reposta sobre a famosa expulsão é digna de um especialista em dar e ler entrevistas, a julgar pelo detalhe final:

> Acreditei que tinha batido nele logicamente. Ele se afastou e deu um soco para trás. No campo, interpretei que o soco tinha sido muito mais violento, embora sem intenção. Fui enganado pelo jogador da Hungria. Na verdade, teria sido suficiente um cartão amarelo para Lionel Messi, que teria sido a melhor decisão e a mais justa. Eu teria ficado mais feliz e ninguém ficaria ofendido. Certamente, foi um marco na carreira de Lionel e em seu desenvolvimento futuro. No entanto, acredito que ele não me convidará para seu jogo de despedida (risos)!

Assim escreveu Merk, incluindo "risos", para que seja copiado (traduzido, na realidade) e colado:

Sempre procurei proteger os artistas do futebol — continua Markus. Os craques como ele têm que ser personalidades fortes, calmas, que não entrem nas provocações. Que não se contaminem com as tentativas de manipulação do jogo. Foi interessante ver que, com o passar dos anos, Lionel Messi ganhou cada vez mais respeito dos adversários. Além disso, sua habilidade e sua capacidade de avaliar as várias situações permitiram que ele não entrasse em brigas. Por tudo isso, não é comum jogar sujo contra ele. Também por sua personalidade. Quando começou, já era um jogador muito reservado, tanto com o juiz quanto com os rivais.

Depois de caminhar sem rumo, provavelmente com uma mistura de raiva e vergonha, Messi se dirigiu para o vestiário. A câmera o perdeu quando se aproximaram dele, Sorín ("Queria ajudá-lo a se levantar: 'Isso não é nada', tentava convencê-lo"), e Hugo Tocalli. O médico Donato Villani foi o primeiro a consolá-lo: "Não chore, não tem nada por que chorar"; depois, pelo massagista Marcelo D'Andrea, conhecido como Daddy.

D'Andrea trabalhava havia cinco anos na seleção principal. Já tinha um bom relacionamento com Leo e, com o passar dos anos, esse relacionamento se solidificou.

"Sempre espero os jogadores que saem expulsos. É um jeito de acompanhá-los em um momento difícil", disse e relembra pontualmente como foi esse momento:

> Senti necessidade de abraçá-lo quando íamos para o corredor dos vestiários. Disse a ele para sair com a cabeça erguida. Entramos juntos no vestiário, pedi que tomasse um banho e se acalmasse. Acatou a orientação, mas de todo jeito estava triste. Muito deprimido.

Uma expulsão

> Tão novo e franzino, dentro de uma equipe de jogadores de renome, que era incapaz de entender o que tinha acontecido.

Aos 21 minutos e 12 segundos da segunda parte de um jogo no qual o resultado não mudaria e que já nem o importava muito, Messi desapareceu no corredor rumo ao vestiário. Essa imagem poderia ter desaparecido, mas ainda faltavam 30 minutos de jogo.

No estádio estava o português José Mourinho. O treinador tinha chegado pela manhã, vindo de Londres, com Fernando Hidalgo, que era o então representante, entre outros, de Hernán Crespo. Mourinho queria observar justamente Crespo, a quem logo dirigiria no Chelsea da Inglaterra. O treinador que depois comandaria o Inter de Milão, o Real Madrid e o Manchester United já tinha ganhado uma Champions League na temporada anterior com o Porto, de Lisboa, mas Pékerman não o reconheceu ou, pelo menos, não o notou pela forma que o cumprimentou. Hidalgo conta:

> Para nós dois pareceu uma terrível estupidez a expulsão. Sabíamos que era um garoto promissor e que a seleção da Argentina usaria o amistoso para fazê-lo jogar. Em todo caso, Mourinho não o conhecia muito.

Mas depois teria tempo de estudá-lo.

Treze anos depois, Messi lembraria em um programa do TyC Sports: "Não consegui acreditar quando me expulsaram. Cheguei ao vestiário e comecei a chorar. Muitos vieram me consolar: Ayala, Sorín, Maxi, Crespo, mas eu não aguentava mais".

"Como chorava no vestiário aquele garoto...", relembra Tocalli. "Nós o consolamos. Sentia uma culpa tremenda", reforça Zabaleta.

> Nessa hora, além da vergonha, tinha muito medo daquilo que o técnico poderia pensar. Eu lhe disse que a raiva não seria retirada por ninguém, mas que eu estava convencido de que ele jogaria na seleção até que se cansasse — imaginou Sorín.

"Estava muito abalado, falávamos para ele ficar tranquilo. Que tudo aquilo seria somente uma particularidade", afirma Crespo. "Ainda guardo a imagem de como Ayala tentava consolar o garoto. El Ratón, apelido de Ayala, era uma eminência", elogia Bernardi, então capitão daquele time. Mas a memória de Ayala é curta:

> Realmente me lembro muito pouco daquelas partidas. De fato, na concentração da Copa América de 2019, certa noite, Scaloni começou a me falar daquele dia e lhe disse que eu não tinha feito parte do jogo, que somente o tinha assistido pela televisão. Perdi o jantar que tínhamos apostado.

A família de Messi não tinha viajado para a Hungria. Foi um dos primeiros jogos que Jorge, seu pai, não assistira pessoalmente. Antes, ele o tinha acompanhado em sua viagem a Barcelona para participar da peneira e ficou sozinho com ele quando a irmã de Leo não quis ficar na nova cidade (os outros dois irmãos e a mãe também voltaram para Rosário), e esteve na Holanda para vê-lo ser destaque na Copa do Mundo Sub-20. Não era somente isso, mas também o fato de ser quem o monitorava e o estimulava quando se distraía durante as partidas na adolescência. Mais adiante teremos tempo para recordar esses momentos. Agora, a narrativa continua na direção dos acontecimentos em Budapeste, a quase 12 mil quilômetros do local de onde Jorge via tudo pela televisão.

Uma expulsão

"Falei quando acabou o jogo. Estava angustiado. Quer saber a verdade? Estava arrasado. Acreditava que a culpa do que acontecera era dele, não tinha jeito de animá-lo. E menos ainda à distância", relembra quem caminharia a seu lado durante toda sua carreira e também seria seu representante.

Messi bateu o recorde negativo que era de Cristian González. No dia 8 de novembro de 1995, em um amistoso, de 1x0 para o Brasil, no Monumental de Nuñez, o Kily (apelido do Cristian González) foi expulso em sua primeira apresentação com a seleção principal por uma falta cometida aos 3 minutos depois de ter entrado em campo. González conheceu Messi no mês de outubro do mesmo ano e contou a ele o episódio:

> Eu disse a ele que ainda tinha muito tempo pela frente, que, se eu estava por dez anos na seleção, ele poderia fazer o mesmo. Fiquei sem ter muito o que dizer e aproveitei para tirar sarro dele: eu o tinha visto com a camisa 18 e era a mesma que eu usava. "Você quer me apagar da história?", perguntei a ele.

Victor Tujschinaider, que fazia parte do TyC Sports, foi um dos poucos jornalistas argentinos enviados a Budapeste. No estádio não conseguiu entrevistar Messi, pois o viu muito abatido. Mas conseguiu entrevistá-lo no hotel onde a delegação da Argentina estava concentrada, não sem antes deixar claro que não pretendia encurralá-lo com perguntas, mas que daria a ele a oportunidade para que pudesse explicar sua versão do fato: "Prometi que simplesmente colocaria o microfone. Que ele dissesse o que sentia, que descarregasse tudo".

O que colocou para fora foi concreto, básico e lógico:

Estou com um pouco de raiva. Ele estava me segurando e só tentei afastá-lo de cima de mim para que pudesse continuar a jogada, e o juiz interpretou que eu quis agredi-lo. Não entendi... Me expulsou. O que eu queria era tirá-lo de cima de mim para seguir em frente. Foi isso.

Cristina Cubero, jornalista que tinha viajado para representar o jornal *Mundo Deportivo*, de Barcelona, também estava lá:

> Eu o conheci no ano anterior, na pré-temporada do Barcelona na China. Ronaldinho me disse: "Esse cara vai ser melhor do que eu". Eu estava grávida e meus instintos maternos estavam à tona. Em seguida, vi esse garoto que falava muito pouco e fiquei interessada em saber quem era, no que pensava. Eu prometi a ele que, quando fizesse a estreia na seleção do seu país, estaria presente.

E assim sucedeu. Ela o entrevistou nos dias anteriores ao jogo:

> Ele me contou que o Maradona era muito importante para a garotada da Argentina que tinha sua idade. Um dos seus passatempos favoritos e dos seus companheiros era ir à casa de conhecidos de seus pais e ficar assistindo aos gols do Maradona. Ele me falou do rio da sua cidade, um rio barrento. E perguntei por que era tão quietinho, tão calado, sabendo que os argentinos são tão famosos por falar muito. Respondeu que ele gostava mais de escutar do que de falar e que assim poderia formar sua opinião.

Cubero também falou com ele depois do jogo. Viu que no hotel ainda estava chorando, abatido.

> Me dizia: "não pode ser, joguei só 1 minuto e meio. Nunca mais vão me chamar". Eu somente o fiz lembrar de como tinha sido seu primeiro gol oficial no Barcelona, três meses antes daquele jogo com a seleção: contra o Albacete, com passe de Ronaldinho e por cima do goleiro, igualzinho ao que tinham

Uma expulsão

> anulado erradamente minutos antes. "Você vai ver que aqui ainda
> terá uma nova oportunidade".

Tempos depois, Messi comentaria no aeroporto de Barcelona, quando do voltou. "Eu passei por ele, mas ele vinha me agarrando, e eu queria me soltar para continuar a jogada. O juiz pensou que eu tivesse dado uma cotovelada forte nele". E terminou o relato sem entender ainda o motivo de sua expulsão: "Deu no que deu". Apenas o tempo e as posteriores convocações foram tirando o medo de não voltar a jogar onde sempre tinha sonhado. Nesse momento, jamais imaginaria que, por exemplo, seria o maior artilheiro da história da seleção argentina.

Matthäus voltaria a se encontrar com ele em eventos distintos, como na entrega de premiações e algumas cerimônias da FIFA:

> Voltamos a nos encontrar algumas vezes. Cada encontro foi
> caracterizado por um grande respeito mútuo. Daquele jogo nunca
> falamos. Eu continuo surpreso que possa jogar por tanto tempo, em
> um nível tão alto. É um gênio, um dos cinco melhores jogadores da
> eternidade.

Já com Vilmos Vanczák a história é outra. Sua trajetória não permitiu que ele estivesse novamente frente a frente com Messi. Argentina e Hungria não voltaram a se enfrentar, e a única chance de que se cruzassem seria em uma partida pela Champions League, mas não teve a sorte de disputar nos clubes em que ele jogou: o Ujpest, da Hungria; o Sint-Truiden, da Bélgica; depois passou nove anos no Sion, da Suíça, e dois no Puskás Akadémia , da Hungria. "Infelizmente não voltei a vê-lo; quem sabe hoje nem se lembre mais do que aconteceu", acredita Vilmos. Ou finge acreditar.

Evidentemente, Messi não se esqueceu daquela jogada. Não se esquecerá dela jamais. Por mais de treze anos, essa expulsão foi a única de toda a sua carreira. "Se eu pudesse falar com o Messi, gostaria de fazer uma brincadeira com ele. Fui o primeiro que conseguiu dar-lhe um cartão vermelho", se empolga o húngaro. E conclui: "Estou contente por fazer parte de sua história. De certa forma, para mim é um orgulho".

Capítulo 3

LENDAS DE UMA TROCA

3

SE AINDA TEM GENTE que afirma que a resistência às invasões inglesas privaram a Argentina de ser parte do primeiro mundo, logicamente é possível de que ainda continuem fazendo conjecturas de quando Lionel Messi deixou de participar da Copa do Mundo de 2006, quando a seleção não conseguiu segurar o resultado que a levaria às semifinais.

A ucronia é um gênero literário. Basicamente se refere à especulação sobre "o que teria acontecido se". Está bem explicado no livro *Ucronías Argentinas*, de Javier Aguirre, Fernando Sánchez e Eduardo Blanco, quando, por exemplo imaginaram uma jornada nublada, no dia em que Manuel Belgrano escolheu as cores da bandeira da pátria argentina, ou como teria reagido Víctor Hugo Morales,[1] se o juiz da Tunísia, Ali Bennaceur, tivesse visto a mão do Maradona no gol contra a Inglaterra: "Esse cara é um safado! Foi gol de mão do Diego! A maior canalhice de todos os tempos".

No dia 10 de maio de 2006, José Pékerman tinha adiantado que, ainda que fosse esperar até o fim do prazo para confirmar a lista, não tinha dúvidas da presença de Messi na Copa do Mundo; além disso, ele estava se recuperando de uma lesão muscular. "Não podemos adivinhar o futuro. Sabemos que é um jogador muito elogiado e invejado por todos", assim o definia. Hugo Tocalli, ajudante de Pékerman, relembra que "já tínhamos tomado a decisão de levá-lo para a Copa do Mundo antes que

---

[1] Jornalista esportivo uruguaio e radicado na Argentina, famoso por ter dado a Maradona o apelido de "Barrilete cósmico" ou simplesmente "Foguete".

jogasse seu primeiro amistoso contra a Hungria. O que o tínhamos visto fazer durante a Copa do Mundo Sub-20 já era suficiente".

Naquela época, ele já era notícia em diferentes meios de comunicação. Sua juventude (completaria 19 anos durante a competição), sua ascensão no Barcelona (até esse momento tinha 34 jogos oficiais e 9 gols marcados) e a sua história de vida faziam dele uma personagem daquelas a respeito de quem valia a pena falar. Dessa forma, alguns meios de comunicação relatavam que ele estava namorando com Macarena Lemos, menina de apenas 14 anos, sem muitas provas além do que a palavra daquela que estava envolvida. As mesmas publicações também espalhavam que Messi e Lemos haviam se encontrado apenas duas vezes.

O elenco daquela Copa do Mundo na Alemanha era um conglomerado de líderes. A maioria deles era ou seria capitão em suas futuras equipes: Roberto Ayala, Juan Pablo Sorín, Juan Román Riquelme, Esteban Cambiasso, entre outros. Dos 23 convocados, 10 eram maiores de 28 anos de idade. Os mais novos eram Oscar Ustari, perto de completar 20 anos, e Messi. "Éramos um grupo forte. E Pékerman protegia Messi", comenta Fabricio Coloccini, que tinha 24 anos, mas que se sobressaía como líder.

Sorín revive aqueles momentos:

> Era um grupo muito horizontal, embora contássemos com vários líderes. Não houve nenhum conflito. Leo fazia parte do grupo, ainda que obviamente nessa época estivesse se adaptando e não fosse muito de falar. Queríamos conhecê-lo. Quando existe alguém diferenciado, temos que fazê-lo se sentir o mais confortável possível, não sob pressão. O professor Salorio ensaiava as jogadas para que cada um estivesse adaptado ao grupo. Quando jogávamos PlayStation, ele deve ter me xingado quando fomos companheiros: jogo mal, então a única coisa que tentava fazer era passar a bola para ele.

Lendas de uma troca

Ayala, que usava a faixa de capitão em sua segunda Copa do Mundo consecutiva, lembra-se bem: "Era muito introvertido. Se hoje continua sendo assim, imagine na primeira Copa do Mundo! Era muito fechado. Mal o víamos; só nos treinamentos". Parecido ao que já havia comentado em plena Copa do Mundo: "É muito fechado; se ele se abrisse mais, possivelmente lhe daríamos mais conselhos".

Com certeza, pesou a intenção de contentar a nova joia na escolha do terceiro goleiro. Oscar Ustari foi um dos goleiros com melhores condições técnicas das duas últimas décadas, mas na disputa com o outro goleiro, Germán Lux, pesou também sua amizade com Messi, pois tinham sido companheiros no Sub-20. "Com Leo não abríamos a boca", ri Ustari. Estavam no mesmo quarto, obviamente: "Jogávamos *futnet* dentro do quarto. Como rede, usávamos umas bandagens e chegávamos a dormir às 3 horas da manhã por ficar brincando. Eu tinha aquilo que lhe faltava: cabeçada. Ele tinha todo o restante. Tínhamos mais de 10 bolas" — continua Ustari.

> E ele estava o tempo todo com uma. Era a época em que se usava o Messenger para enviar mensagens. Eu me sentava no chão diante do computador, e ele chutava por cima de mim. Fazia bater a bola na parede e a parava antes de ela bater o chão. Sempre estava competindo, claro: qualquer coisa que aparecia, ele apostava algo. Por exemplo, pela música: ele queria ouvir *Os Palmeras*;[2] eu, rock. Certo dia, apostou comigo que faria 50 embaixadinhas com um chimarrão cuja forma era de uma abóbora. Obviamente, ele ganhou.

O massagista Marcelo D'Andrea lembra:

> As 10 bolas tinham sido um presente da Adidas: eram réplicas das bolas que tinham sido usadas em todas as Copas, mas em uma versão menor obviamente. Messi e Ustari estavam sempre juntos;

[2] Conjunto de música típica de Córdoba, Argentina. [N. do T.]

> eu os vi brincar até nas madrugadas. Leo estava desesperado para jogar. Tenho uma gravação em vídeo de um dia em que atirei nele uma tampinha de refrigerante, e ele começou a fazer embaixadinhas. Depois, continuei atirando outras coisas; até uma bola de papel embrulhado, mas ele não deixava cair nada no chão.

A seleção conseguiu passar pela fase de grupos com um bom nível, ainda mais tendo feito 6x0 contra a Sérvia e Montenegro, após a entrada de Messi no segundo tempo, que deu assistência para o gol de Crespo e fez também seu próprio gol. O duelo das oitavas de final, no jogo de 2x1 contra o México, com aquele chute inesquecível de Maximiliano Rodríguez, tinha sido tão disputado que, antes do segundo tempo, os jogadores comentavam o que tinham que mudar para não passarem novamente pela situação, e cada um tinha uma opinião: o descontrole tático era total.

Messi entrou quase no final do tempo regulamentar, momento crucial para reter a bola e partir para o contra-ataque. Nos 30 minutos de prorrogação, recebeu 23 passes e, dos 9 dribles que tentou, ganhou 8. Com ele em campo, o tempo passava de forma diferente.

"Leo nos deu novos ares, pois estávamos com muita dificuldade", relembra Maxi Rodríguez. "Tínhamos que segurar a bola e também tentar desequilibrar o outro time. Por isso, entraram em campo todos os baixinhos" reforça Sorín. Os três fazem parte da histórica jogada daquela partida.

Messi foi quem começou a manobra da direita para o meio, abriu para a esquerda e Sorín seguiu a jogada, tocando a bola para o canto direito da grande área.

> Dei o passe para o Maxi, igualzinho fez o Negro Enrique quando tocou para o Maradona...[3] a bola deve ter chegado para mim com

---

[3] Lembrando daquela jogada e do gol inesquecível, que foi o segundo da Argentina contra a Inglaterra, na Copa do Mundo de 1986. [N. do T.]

> muita força pelo passe feito por Leo, pois eu já não tinha tanta força para seguir a jogada. Então, Maxi a controlou e armou aquela preciosidade — descreve Sorín.

Quando Maxi Rodríguez matou no peito, Messi abriu os braços, pedindo que lhe passasse bola. Anos mais tarde, provavelmente qualquer companheiro tivesse optado pelo passe, mas Maxi escolheu ter uma aventura própria: dominou-a no peito e soltou aquele torpedo de voleio, ainda mais de canhota, sua perna menos hábil. O remate se converteu em um dos gols mais bonitos das Copas feitos pela seleção Argentina. Algum tempo depois, Ricardo Lavolpe, técnico daquele time mexicano tão bem entrosado, encontrou-se com a mãe de Maxi Rodríguez e fez este comentário: "A senhora não tem nada a ver com isto, mas seu filho, é um filho da...".

Foi assim que chegou o encontro das quartas de final: sexta-feira, 30 de junho de 2006, quando se cruzaram a Alemanha e a Argentina, que já haviam se enfrentado em uma final nas últimas duas décadas e que se enfrentariam nas duas Copas seguintes (sempre tendo o mesmo vencedor).

O primeiro gol da partida foi feito logo no começo do segundo tempo, com o característico e imponente salto de Roberto Fabián Ayala, que superou Miroslav Klose depois de um escanteio bem cobrado por Riquelme. Transcorridos os primeiros 15 minutos de jogo, os ataques e a pressão dos alemães na busca pelo empate eram constantes. A Alemanha ainda não possuía a capacidade atlética e a riqueza técnica com a qual dominaria o futebol mundial. Isso ocorreu fruto de um planejamento que seria a base do treinamento infantil, que incluiu o aperfeiçoamento do método do Pékerman nas seleções juvenis argentinas. Ainda não eram o que seriam mais adiante, mas estavam muito determinados a alcançar seus objetivos.

Entre os 15 e 20 minutos daquele segundo tempo, a seleção anfitriã cobrou três escanteios consecutivos. No segundo deles, o que mais perigo gerou, o argentino Coloccini cabeceou para dentro da própria área,

MESSI — O GÊNIO COMPLETO

e o chute de Ballack atingiu o peito de Ayala, justo quando a bola ia em direção ao gol, pois nesse momento não havia goleiro. Abbondanzieri estava caído por causa de uma joelhada sem intenção de Klose, que deu um pulo mais alto que o do zagueiro argentino.

Logo depois de ter sido atendido pelo médico Donato Villani, Abbondanzieri voltou a sentir a região atingida, até que, aos 23 minutos, desabou. Villani se lembra dos detalhes:

> Quando entrei no campo para atendê-lo, disse a ele que, embora tivesse sido uma entrada muito forte, a dor passaria em alguns minutos. Avisei os marcadores centrais que não o deixassem chutar. A joelhada tinha afetado justamente um nervo na crista ilíaca. Voltei para o banco de reservas e vi que ele estava novamente no chão. Abbondanzieri tinha acabado de participar das finais pelo Boca Juniors e evidentemente não conseguiria continuar. "Eles vão chutar de qualquer canto. Não consigo me mexer direito!", gritava para mim.

Leonardo Franco foi o escolhido como substituto.

Na sequência, entrou em campo Esteban Cambiasso no lugar de Riquelme. Pékerman queria reforçar o meio-campo. Tocalli lembra:

> Tinha entrado um jogador alemão muito rápido, com o número 22, que estava dando trabalho para o Sorín. A ideia era ajudá-lo com um lateral canhoto. Além disso, percebemos que Riquelme estava perdendo algumas bolas, porque estava cansado.

O número 22 era David Odonkor, seu pai era de Gana e, depois da Copa, o Borussia Dortmund o venderia para o Betis, da Espanha.

O jogo parecia não acabar nunca, mesmo que não houvesse jogadas de extremo perigo no campo argentino. Nesses momentos, os técnicos não podem ficar com dúvidas e devem agir. Sabem que serão

Lendas de uma troca

julgados pelo resultado de suas decisões. Acima de tudo, têm que decidir. Existem aqueles que são guiados pelo instinto e outros que argumentam a escolha feita por um detalhe do momento. Há os que repetem aquilo que os levou à vitória em uma situação semelhante no passado e os que analisam detalhadamente cada situação. Todos geram seu ponto Jonbar,[4] a virada literária da ucronia: o momento que poderia ter mudado o que aconteceu depois. Assim é como é conhecido desde que Jack Williamson escreveu *La legión del tempo* [A legião do tempo], novela de 1938. Uma decisão de Jhon Barr, o protagonista, que implicava gerar um Estado ou uma tirania.

O futebol é um terreno de eternos debates. Não é preciso nem ter jogado como amador para se elaborar uma teoria. Qualquer um pode se pôr no lugar de John Barr. Qualquer um opina o que teria feito "no lugar de", até se for preciso tomar uma decisão ao calor do momento. Tocalli faz uma intervenção: "Quando Abbondanzieri estava caído no chão, Crespo veio nos pedir para que o tirássemos do campo, pois tinha machucado o músculo da panturrilha. Ele me disse que não podia caminhar". O corpo técnico tinha alternativas diferentes: um marcador central (Leandro Cufré, Gabriel Milito), um jogador criativo para esfriar o jogo (Pablo Aimar), um centroavante com o qual simplesmente fariam a mudança da peça que estava saindo para não alterar o esquema (Julio Cruz), um atacante rápido (Rodrigo Palacio, Javier Saviola) ou a promessa do futebol mundial, aquele que semanas antes havia gerado um diálogo entre Julio Grondona e Joseph Blatter (presidentes da AFA e da FIFA, respectivamente).

Era o oitavo ano do suíço no comando da FIFA, dos dezessete que se manteve como presidente da FIFA, período que contou com o presidente

---

[4]   Elemento na literatura e na ficção científica, conceito fictício que representa um importante ponto de divergência entre dois resultados de um acontecimento, principalmente representado nas viagens no tempo. [N. do R.]

da AFA como seu vice-presidente, e, sobretudo, como companheiro em exercício. Certa tarde, na saída de uma reunião de rotina, parou em frente de um enorme *outdoor* da Adidas que promovia a Copa com três jogadores: o brasileiro Kaká, o alemão Michael Ballack e Messi. "O único que não joga nada é o seu", soltou Blatter. Grondona interveio pessoalmente para que Leo fosse titular na Copa do Mundo Sub-20, mas nunca mais deu sua opinião a Pékerman salvo sobre um ou outro jogador nas convocatórias.

Aos 33 minutos, com o direito de fazer só mais uma substituição, depois de ter feito uma por lesão e supostamente obrigado a fazer a terceira pelo mesmo motivo, o técnico tomou uma decisão: tiraria Hernán Crespo e colocaria Julio Cruz no lugar. Lionel Messi ficaria sem possibilidade de entrar na partida. Dessa forma se abria a primeira ucronia histórica de sua carreira na seleção. O ponto Jonbar da Copa do Mundo.

Contudo, Crespo se defende: "Nunca pedi nada. Ter sido tirado foi uma decisão tática. E minha pergunta é por qual motivo não entrou Saviola, que estava jogando muito. Ainda não entendo por que parou de jogar". Crespo ainda lembra uma conversa com Messi, antes de este fazer sua estreia:

> Era maravilhoso vê-lo nos treinos. Batiam para caramba nele, mas continuava encarando. Eu disse a ele que o levaria até as semifinais e que ele nos faria campeões. "A semifinal e a final é você quem vai ganhar". Eu não tinha dúvidas: era um desconhecido e ia produzir uma revolução, pois eles não o levariam em conta. Falhei por uns minutos.

Coloccini fez uma pausa naquele instante: "Com o jornal de segunda-feira na mão, é fácil dizer que o Leo deveria ter entrado. Naquela época, já fazia diferença, mas ainda não era imprescindível na seleção. Fora isso, aquilo que Pékerman nos dizia, era lei para nós". Ustari reconhece: "Naquele instante não passou pela cabeça de ninguém que era ele que deveria entrar no jogo". Maxi Rodríguez acrescenta: "Com o tempo, é fácil falar, mas a verdade é que Leo era muito jovem, e os alemães eram muito fortes na bola parada. Tinha lógica que entrasse Julio Cruz". Ayala resume as opiniões: "Falou-se muito que não entrou no jogo porque depois ele teve uma carreira fantástica".

Por causa de uma lesão que teve no joelho no terceiro jogo da Copa do Mundo, depois do 0x0 perante a Holanda, Nicolás Burdisso não pôde jogar nos dois encontros seguintes. Assistiu a tudo de camarote. Reconheceu Pékerman:

> Quando Leo entrou contra o México, perdeu quatro ou cinco bolas em um momento que estávamos sob muita pressão. José enxergava pequenos detalhes antes de tomar suas decisões. Lembro que Palacio tinha escorregado algumas vezes em um jogo anterior e ficou machucado. Com certeza, tinha entendido que aquela era uma partida para jogadores mais calejados. E apostou na experiência de Cruz. Para nós, naquele momento, tudo parecia normal.

O próprio Julio Cruz, que não gostava muito de reportagens jornalísticas, raras vezes fez menção do tema, embora tenha usado as redes sociais no mês de março de 2020 para comentar o fato:

> Todo mundo comentou aquela troca, de por que tinha que ser o Cruz (sic) e por que não o Lionel. A verdade é que era o que pedia a partida: saía Hernán Crespo, e eu entrava. Estávamos muito convencidos do que fazíamos dentro e fora do campo, éramos um grupo muito compacto. Nós dominamos esse jogo. No entanto, o futebol é assim. Alguns dizem que é má sorte, mas para mim não existe má sorte: tudo está escrito.

Cristina Cubero, a jornalista espanhola que soube chegar a Messi no início de sua carreira, crê que "Pékerman gostava tanto dele que não quis pressioná-lo".

Gabriel Milito já observava o futebol como treinador:

> José foi condicionado pela mudança de goleiros. Já sem margem, deve ter levado em conta que Crespo se movimentava pelos cantos da pequena área nas bolas paradas. A Alemanha estava pondo em campo um momento de centroavantes. Me pus no lugar de José nesse momento. Se ele fizesse entrar Leo e depois empatassem com um gol de cabeça, iriam lhe perguntar por que não havia colocado o Julio Cruz.

Em fevereiro de 2020, Leandro Cufré, que era integrante daquele elenco, daria uma versão distinta. Na FM 94.7 justificaria a decisão do ponto de vista físico daquele garoto que prometia tanto:

> Somos poucos os que sabemos que Leo não tinha condições de jogar duas partidas em tão pouco tempo. Todos dizíamos: "Sai Román e entra Messi, que é um dos que podem manter o domínio da bola". Mas Román já estava vendo como a bola passava por cima dele e tínhamos que colocar jogadores mais altos. Há situações que devem ser resolvidas em fração de segundos e nesse momento José fez a mudança. Todos ficamos nos perguntando por que José não disse a verdade: é que todos também sabemos que Pékerman é um cavalheiro.

Com a ferida cicatrizada, mas com a sensação de que ainda faltavam respostas satisfatórias, Tocalli relata:

> Hoje continuam nos acusando porque não o colocamos. Todavia, Leo vinha com uma dor no quinto metatarso. Durante os treinos, não podíamos exigir dele. E esse jogo não dava para ele. De fato, não somente poderia ter entrado Messi, como também Saviola, que

Lendas de uma troca

> tinha começado a Copa do Mundo sendo o titular e que nesse momento estava no banco de reservas. Acreditávamos que eles só conseguiriam empatar o jogo com um gol de cabeça.

Em novembro daquele ano de 2006, Messi seria operado de uma fratura no quinto metatarso do pé esquerdo. Entretanto, Villani descarta que uma lesão, ou, pelo menos, algum problema físico seria o motivo para ele ficar fora de uma partida:

> Tínhamos detectado uma fratura por estresse de envelhecimento na região do quinto metatarso, dava para perceber que tinha sofrido um golpe e que não tinham dado a atenção devida ao caso. Contudo, sempre esteve disponível para jogar.

Nos meses anteriores à Copa do Mundo, Messi tinha pedido ao Barcelona que Marcelo D'Andrea viajasse para que o atendesse, pois estava com problemas musculares rotineiros.

> Quando comecei a massageá-los, podia notar que tinha os músculos posteriores com cicatrizes. Sentia dores nessa região. Viajei, estive com ele durante os momentos anteriores à Copa do Mundo e logicamente na Alemanha. Posso garantir que estava em perfeitas condições — resume.

Se mais de uma década depois ainda questionam se sua ausência foi ou estava de alguma forma ligada à sua condição física, os especialistas no ato descartam essa hipótese.

Apenas 90 segundos depois daquela terceira substituição, na segunda bola aérea naquele curto espaço de tempo que a Alemanha cruzou pelo alto, a bola raspou na cabeça de Podolski, e Klose superou Sorín para em seguida empatar a partida. Faltavam 10 minutos; tão perto, mas tão longe.

MESSI — O GÊNIO COMPLETO

No restante da partida, a Argentina fez algumas jogadas próximas da área da Alemanha, entre elas um lançamento de Cruz, estranhamente aberto pela direita do campo ainda que fosse a única referência no ataque, mas que não foi alcançado por Cambiasso. Depois, entramos na meia hora da prorrogação, na qual praticamente não houve chances de gol em nenhuma das áreas, exceto por uma jogada nascida pela insistência de Tévez e umas duas intervenções surpresa de Coloccini, que toda a vida jogou como zagueiro, mas que daquela vez jogou na lateral:

> Como tinha que compensar, pois se juntavam muitos jogadores de ataque, José me colocou para cuidar da lateral. Quando começou o tempo extrarregulamentar eu me soltei ainda mais. Embora os meus ataques indicassem que a possibilidade de ganharmos se escapava.

A história foi decidida nos pênaltis. Oliver Neuville começou a série, e Julio Cruz empatou o placar, Ballack voltou a desempatar, e o preanunciado chute rasteiro de Roberto Ayala, por baixo e ligeiramente à direita do goleiro, foi simples para a defesa de Lehmann, que tinha lido em um papel as referências dos jogadores argentinos. Podolski ampliou o placar, e Maxi Rodríguez, muito seguro apesar de seus 25 anos, descontou. Tim Borowski, meio-campista que media 1,94 metro definiu com eficiência. Em seguida, Cambiasso, com um grande peso nos ombros e sem margem para errar, chutou a bola nas mãos de Lehmann. O goleiro, nesse momento do Arsenal da Inglaterra, quase nem comemorou; apenas movimentou o dedo indicador de cima para baixo enquanto 76 mil pessoas pulavam no estádio Olímpico de Berlim. A outra parte da torcida permaneceria sentada.

Lendas de uma troca

A imagem de Messi isolado percorreu o mundo. Sentado em um canto do banco de reservas, com o olhar perdido, mostrava sua tristeza. Não falava com ninguém. Ficava longe do pranto de alguns companheiros e do consolo de outros. Se praticamente não se relacionava com ninguém na concentração da seleção, muito menos poderia sair alguma palavra de sua boca naquele momento.

D'Andrea se aproximou dele, o mesmo que o tinha consolado no ano anterior e que trataria de consolá-lo várias vezes em sua carreira na seleção:

> "Vamos rapaz. Fica de pé", disse a ele, tentando animá-lo. "Vá para puta que o pariu, gordão", me respondeu. Só queria tirar a raiva dele. "Não ajuda em nada ficar aqui sozinho". Até que ficou de pé e fomos para o vestiário. A verdade é que tinha uma vontade enorme de entrar em campo. E desaparecer.

Nesse tempo, comecei a receber críticas da impressa — declarou Messi no ano de 2019 a respeito daquela Copa do Mundo de 2006. — Disseram que não me importava com nada, que assisti aos minutos finais do jogo sem as chuteiras. E eu as tinha tirado porque já não poderia entrar no gramado. Estava muito bravo porque não poderia jogar. Mas era mentira que para mim o resultado não era importante. O vestiário era uma coisa terrível, todos choramos muito amargurados, eu fui o primeiro.

"Foi uma punhalada nas costas aquela eliminação. Tínhamos certeza de que venceríamos", relembra Maxi Rodríguez. "Sentíamos que podíamos ser campeões. Percebíamos", lamenta Milito. "É uma pena que não conseguimos ir adiante na Copa do Mundo. Jogamos um futebol de toques e verticalidade que se identificava com todo o nosso grupo — afirma Sorín.

Lionel Scaloni nem imaginava que no futuro ele seria o treinador de Messi. Nesse momento, compartilhava o banco de reservas com Leo.

MESSI — O GÊNIO COMPLETO

> Foi uma partida lamentável. O goleiro pediu a troca, houve uma segunda substituição tática. A Alemanha tinha jogadores altos, e nós defendíamos as bolas paradas com o Crespo na primeira trave. O jogo deveria haver terminado ali, ninguém esperava que pudessem empatar e chegar com fôlego na prorrogação. Isso tinha lógica, eu teria feito o mesmo. O futebol evolui, hoje poderíamos fazer uma quarta substituição na prorrogação.

É verdade: atualmente é permitido uma mudança a mais na meia hora da prorrogação do jogo. Naquela época, a entrada de Julio Cruz impedia a de Lionel Messi. Evidentemente, também existia e existe entre os jogadores unanimidade em aceitar aquela decisão de Pékerman. Mas não na mídia — nem ontem, nem hoje.

Nos meios jornalísticos predominou a valorização pelo rendimento futebolístico da seleção na Copa do Mundo, ainda que a não incorporação de Leo no jogo tenha sido alvo de muitos debates. Víctor Hugo Morales, que, nesse momento, era comentarista e relator da rádio Continental, criticou:

> A ausência de Messi provocou não somente a minha surpresa, mas também a dos jornalistas da Espanha e da Itália, que olhavam para nós como se estivessem procurando alguma explicação do motivo de ele não ter entrado em campo pelo menos como o terceiro dos substituídos.

Héctor Hugo Cardozo elaborou uma linha de tempo no jornal *Clarín*:

> Messi nos fazia sonhar. No entanto, só ficamos na ilusão. E aquilo que vivemos em Berlim não era novidade para nós. A história está aí para provar. Quando pudemos desfrutar de Enrique Sívori ou de Alfredo Di Stéfano, as normas daquela época negaram a

Lendas de uma troca

> possibilidade da repatriação.[5] Depois foi o Diego Maradona que foi adiado; a Ramón Díaz em seguida; a Claudio Caniggia, na França, e a Saviola e Riquelme, na Ásia. Agora, no calor do momento, ter que esperar outros quatro anos para obter uma revanche e com Messi, parece uma eternidade.

O jornal *Perfil* usou a seguinte manchete na capa: "Messi, mais minutos de observação do que dentro do campo. Quem foi que errou? Pékerman, que não o pôs para jogar, ou os fãs e os anunciantes que o escolheram como ídolo?". As perguntas não foram respondidas nas páginas internas; isso costuma acontecer.

Mario Kempes não duvidou: "Ter colocado Julio Cruz em vez de Messi ou de Javier Saviola, foi o momento chave e decisivo do jogo". Jorge Valdano havia comentado: "Admiro José Pékerman, mas o admiraria mais ainda se tivesse colocado Messi como titular".

A prévia do jogo Argentina x Colômbia, da Copa América de 2015, seria umas das poucas exceções nas quais Pékerman faria menção do tema, agora obviamente como técnico do time rival. Na realidade, deixaria uma lembrança sem muitos argumentos: "A imagem foi difícil de engolir. Ele queria continuar a jogar. É como o James,[6] que fica bravo quando perde; quer ganhar tudo. Assim são os grandes jogadores".

Messi não assistiria a nenhum dos quatro jogos que faltavam da Copa do Mundo: nem as semifinais, nem a final, muito menos o que definiu o terceiro lugar. Messi gosta do futebol, mas gosta muito mais de jogar do que de assistir.

---

[5] O autor se refere ao fato de que Sívori e Di Stéfano, dois grandes craques do século XX, obtiveram as nacionalidades italiana e espanhola, deixando de jogar pela seleção argentina. [N. do T.]

[6] James Rodríguez, da Colômbia. [N. do T.]

Um mês depois, em uma jornada de compromissos comerciais em Buenos Aires, fizeram-lhe uma pergunta sem sinais de interrogação:

— As pessoas gostariam que você jogasse mais.

— Eu também — foi sua sincera resposta. Suficiente.

O futebol sempre foi a sua expressão. Com esse talento quebrou a própria casca. Assim se apresentou ao Barcelona, quando seu físico deixava dúvidas e sua introversão não o ajudava. Ele se desprendeu de suas raízes, de sua gente. Para aliviar a deficiência do hormônio de crescimento, injetava-se uma dose diária de somatotropina sintética. Isso tudo muitas vezes estando em plena solidão. Ele se desenvolveu em um âmbito sem muito alarde, forjando ainda mais suas habilidades. A bola, a simplicidade e a introspecção.

Em sua estreia na seleção, uma decisão equivocada do juiz o tirou do campo. No seu primeiro torneio importante, uma escolha do treinador voltou a deixá-lo de fora no momento decisivo. Na primeira ocasião, sentiu incerteza e angústia; na segunda, desolação. Longe do campo, nunca se preocupou em se manifestar. Sem jogar, a única coisa que lhe resta é o silêncio.

Capítulo 4

BASTIDORES DE UM GOL

4

ATÉ QUE UMA BOLA chegasse a seus pés, o que por unanimidade primeiro chamava a atenção em Lionel Messi era seu físico. Em Barcelona, intensificou o tratamento para compensar seu déficit do hormônio de crescimento que tinha começado em Rosário, depois de ser diagnosticado em 1997. Diego Schwarztein, seu primeiro médico endocrinologista, nos forneceu detalhes:

> No começo do tratamento, ele media 1,26 metro. Quando completou 12 anos, ou seja, em meados de 1999, já estava com 1,38 metro. Seis meses depois, tinha crescido 3 centímetros. Chegou à Espanha no final do ano 2000 com 1,50 metro. O último controle comigo foi em julho de 2001, quando havia completado 14 anos e media 1,54 metro.

O cuidado profissional e a perseverança pessoal conseguiram fazer com que chegasse a 1,70 metro.

Naqueles primeiros anos, suas condições futebolísticas geravam tanta repercussão quanto sua luta diante das adversidades. A grande mudança ocorreu na Copa América de 2007, um dos momentos mais prósperos de sua história na seleção.

O desmembramento de um jogo, em especial o 3x0 contra o México pelas semifinais, tem consequências que vão do particular para o coletivo. Aquele torneio foi, para começar, o primeiro que o mostrou como titular. Com sua estabilidade, vieram o bom nível, sua amizade com aqueles que, nessa hora, já eram indiscutíveis e a exposição da sua personalidade.

MESSI — O GÊNIO COMPLETO

Foi a Copa que reuniu uma constelação de jogadores argentinos, provavelmente o melhor elenco do qual Leo participou com a camisa da Argentina. A Copa do clima quente e úmido da Venezuela. A capa do jornal esportivo *Olé* tinha o técnico Alfio Basile sem camisa na piscina do hotel onde a seleção argentina estava concentrada, sob o título "*El Coco Sarli*",[1] fazendo uma descrição do cenário local e de um diretor esportivo que era extremamente liberal e corria o risco de não ser obedecido quando sugerisse alguma recomendação tática.

Naquela vitória em cima do México, em 11 de julho de 2007, no estádio Pachencho Romero, em Maracaibo, Messi fez seu sexto gol na seleção principal, um dos mais belos de sua coleção e o primeiro que desencadeou a admiração jornalística. Admiração que veio, em primeiro lugar, dos narradores e comentaristas compatriotas, que já estavam esperando alguma genialidade do craque.

— Se toca a bola, Messi está livre para receber. Avança Messi, está chegando Argentina. Mostre Lío, Mostre Lío, Mostre Lío. Deu de bico na bola... Goooool... Maravilhoso, fenomenal, genial. Sem palavras. Somente assistam. Argentina 2x0 México. Gol de Messi! — narrou Sebastián Vignolo na transmissão do canal 13.

— Bom, este estádio é relativamente novo. O estádio veio abaixo. Vão ter que construir outro. O que tem provocado o gol de Messi! — disse maravilhado Enrique Macaya Márquez.[2]

— Tévez abriu um espaço muito bom. Messi está em condições. Aqui está Messi. Para fazer, que golaço. Messi! Golaço! Goooool...

---

[1] Referência a uma atriz e dançarina argentina dos anos 1960, que se chamava Isabel Sarli, cujo apelido era Coca Sarli. [N. do T.]

[2] Narrador muito conhecido e ouvido pelos torcedores argentinos. [N. do T.]

74 • • • •

Bastidores de um gol

Pulga atômica,[3] que tremendo gol que você fez! Sim, Coco, caramba! Apareceu Messi. Argentina 2x0 México, aos 17 minutos do segundo tempo. Todo o estádio ficou em pé para aplaudir essa obra-prima da Pulga Messi — descreveu Walter Nelson, locutor do TyC Sports.

— Essa mão esticada do goleiro, esse olhar de terror dos defensores mexicanos quando viram como a bola viajava e entrava irremediavelmente por detrás do goleiro Sánchez. Era 2x0... Fechamos o estádio e vamos embora? — perguntou Alejandro Fabbri.

— Sim, para que mais? Para que temos que continuar depois disso?

A admiração também começava a surgir nas vozes estrangeiras. Um dos jornalistas que era da *TV Azteca* do México, Ricardo Peláez, ex-atacante que se tornou diretor esportivo do Cruz Azul, mexicano, ficou maravilhado junto ao narrador Enrique Bermúdez depois de Leo enfileirar seus rivais antes do fim do jogo:

> Contra isso não há o que fazer. Contra essa habilidade e velocidade... ele aparece e o dribla, vem outro e o deixa parado. Desconcerta o setor defensivo. Isso no futebol é desequilíbrio e contra isso não há nada que se possa fazer.

Com o resultado de 1x0 a favor da Argentina desde o primeiro tempo, o México poderia ter empatado o jogo. Entretanto, como tinha acontecido na Copa do Mundo da Alemanha (com aquele gol de Maximiliano Rodríguez) e como aconteceria três anos depois na Copa do Mundo da África do Sul (Carlos Tévez foi fundamental), uma jogada individual desequilibrou o placar:

---

[3] Apelido dado ao Messi, devido a sua pequena estatura, quando começou a jogar futebol.

MESSI — O GÊNIO COMPLETO

> O jogo esteve nivelado durante 70 minutos. São aquelas partidas das quais gostamos de ver os mexicanos. Desde a concentração, devíamos compensar a diferença a favor da técnica que eles tinham. Até que Messi definiu o encontro com a sua genialidade — lembra Fausto Pinto, lateral esquerdo da então seleção mexicana.

Messi se movimentava na região de Fausto Pinto, que tinha se preparado para marcá-lo:

> A grande estrela deles era Riquelme. Mas sabíamos de Messi. Eu sabia que não poderia deixá-lo girar. Se ele girasse, eu estava acabado. Fiquei grudado nele quase o jogo inteiro. Em um momento, tive que sair para marcar o Tévez e deixei aquele canto livre. Messi não precisa de muito espaço para se sobressair e nessa jogada teve o suficiente. Oswaldo Sánchez[4] tentou diminuir o espaço, mas antes ele definiu com um toque magistral por cima dele. Olhamos e nos demos conta de que estávamos diante de um monstro.

O desenlace do gol abre espaço para o relacionamento com os companheiros daquele time cheio de estrelas. Ele recebeu o passe de Carlos Tévez; várias versões eram dadas a respeito do vínculo que tinham.

Messi e Tévez nunca tiveram um relacionamento ruim. É verdade que faltou mais entrosamento. Não foram íntimos. Nem sequer coincidiram em todos os campeonatos: Tévez participou no Brasil, na Inglaterra e na Itália, mas não na Espanha, o único lugar que Messi tinha jogado até então.

Dos primeiros 14 gols de Messi na seleção, 5 foram com passes de Tévez: o que acabamos de citar contra o México e os que marcou na então Sérvia e Montenegro na Copa do Mundo de 2006; na Venezuela, em

---

[4] Goleiro da seleção mexicana. [N. do R.]

Bastidores de um gol

2007 pelas eliminatórias, na mesma seleção venezuelana em 2009 e na Espanha, em um amistoso, em 2010 no Monumental de Nuñes. Sempre que coincidiram, o nascido em Fuerte Apache[5] foi um dos poucos que marcaram situações de jogo a Messi durante as partidas. Mesmo assim, a distância entre eles foi mais futebolística do que pessoal.

Foi difícil coincidirem, ainda mais na Copa América de 2011. A convocação de Tévez naqueles jogos certamente mereceria um capítulo à parte em outro livro. O técnico Sergio Batista tinha decidido não convocá-lo; já haviam até comunicado o jogador. Uma jornada de muitas conversas e que incluiu uma ligação de Guillermo Coppola[6] a Julio Grondona, somadas à intenção do corpo técnico de que Tévez se retratasse por meio de algum jornal, acabou em sua inclusão forçada. O futebol acaba pagando por essas decisões intempestivas e sem argumentos: longe de sua forma física ideal, Tévez teve um rendimento pífio na Copa e chegou até a errar a cobrança de um pênalti decisivo na eliminação diante do Uruguai.

Muitas vezes, surgiram rumores sobre a ingerência pessoal de Messi e de seus companheiros na não convocação de Tévez para a Copa do Mundo de 2014. O que se sabe é que Alejandro Sabella, técnico daquela seleção, não precisou perguntar a ninguém o que tinha que ser feito; simplesmente se deu conta de que o grupo estava unido e consolidado. À medida que os resultados positivos foram aparecendo, ele não quis incluir uma personalidade tão forte. E assim carregou a responsabilidade de não levar em conta aquele que, naquele momento, era o principal nome da Juventus da Itália.

Tévez tinha acabado de voltar com Gerardo Martino para a Copa América de 2015. Então, o próprio Carlos quebrou o gelo na sua chegada:

---

[5] Bairro humilde nos arredores da capital federal da Argentina. [N. do T.]

[6] Empresário de Diego Maradona. [N. do T.]

— Fala, anão! Eu tenho que vir até aqui para que você possa ser campeão?

O jogador indiscutível, por excelência, daquela seleção de 2017, bem como o favorito do treinador, por enquanto não era Messi, mas Juan Román Riquelme. Entre eles, acontecia o contrário que com Tévez: geralmente se davam bem dentro de campo, mas faltava empatia fora do gramado. Os dois naturalmente se fecharam com seus grupos. No campo, Riquelme sempre soube diferenciar. Ele o fez durante muitos anos com Martín Palermo, rivais no vestiário, mas companheiros históricos no gramado.

Os dois nasceram em 24 de junho: Riquelme, em 1978, e Leo, em 1987. O distanciamento natural pelos nove anos de diferença entre eles era visível em cada intimidade compartilhada. Ainda assim, depois de deixarem de ser companheiros no gramado, Riquelme e Messi começaram a ter um relacionamento amigável à distância, segundo disse o primeiro, com habitual troca de mensagens.

Eles não se conheceram na seleção, mas no Barcelona; Riquelme jogou ali na temporada 2002/2003, quando Leo ainda sonhava em alcançar o nível profissional. Josep Minguella, agente lendário de jogadores do clube espanhol, contou certa vez: "Messi olhava para o Riquelme como se ele fosse Jesus Cristo Superstar".

José Pékerman os fez coincidir somente em alguns momentos. Sergio Batista poria asas naquele time que era um luxo, nos Jogos Olímpicos de Pequim, em 2008. Contudo, foi Basile que mais os juntou. Na lembrança, aparecem gols de ambos marcados e gerados um para o outro: no jogo contra a Bolívia, foi Román; contra o Uruguai, foi a vez de Leo — quando jogaram pelas eliminatórias para a Copa do Mundo de 2010, e mais um de Messi contra o Peru na Copa América de 2007.

Bastidores de um gol

Não havia mais que essas lembranças: a briga entre Diego Maradona e Riquelme e sua renúncia da seleção cortaram a possibilidade de fortalecer a parceria. De fato, quando, em setembro de 2019, perguntaram a Román se tinha ficado alguma coisa sem fazer no futebol, ele só mencionou duas contas pendentes: "Chegar à final da Champions League com o Villarreal e poder jogar mais tempo na seleção com Messi. Eu gostaria de tê-lo ajudado".

Embora nenhum deles tivesse capacidade de sobra para o diálogo, Román sempre soube deixar conceitos nos microfones. "Teríamos que aprender dos brasileiros", disse certa vez. "Eles defendem seus jogadores e seu país. Messi é o maior de todos. Teríamos que dizer somente maravilhas dele. Se fosse brasileiro, diríamos que é um extraterrestre."

Fernando Signorini, preparador físico durante o ciclo de Diego Maradona como técnico, contou a Julio Martínez e a Héctor Laurada para o livro *Generación Lio* uma curiosidade que aconteceu em Marsella, França, antes de um amistoso:

> Depois de um treinamento, Messi ficou treinando cobranças de faltas em cima de Juan Pablo Carrizo. Uma das tentativas passou três metros acima do gol e ele ficou com uma cara similar à de uma criança quando não lhe deixam tomar um sorvete. Eu o abracei e lhe disse que não tinha problema ficar decepcionado porque isso o levaria a continuar tentando. Diego, porém, estava vendo tudo e lhe falou como pai: "Quando você chutar a bola, não tire o pé tão rápido, melhor deixar mais um pouco, porque senão ela não entende o que você quer", aconselhou Diego.

Messi não lembra desse momento tão paternal, e considera a Copa América de 2007 o momento fundamental do início de sua aprendizagem:

> Sinceramente não me lembro se aconteceu o que Signorini disse. Mas sei que na África do Sul ficávamos dando chutes e passando

> o tempo. No entanto, a primeira pessoa que me falou das cobranças
> de faltas foi Coco Basile. "Solta o pé, olha como faz o Román", me
> frisava. Eu chutava devagarinho. ¡Isso é só um tapinha", me dizia.

Outro dos poucos, fora o Tévez, que, na seleção, ousaram recriminar o Messi por uma ação futebolística foi Nicolás Burdisso. Por causa disso, estiveram a ponto de se pegarem no vestiário depois do 0x0 contra a Colômbia pela Copa América de 2011: "Tudo começou por causa de uma crítica no primeiro tempo, e que se repetiu no segundo tempo; quando terminou o jogo, ele me encarou no vestiário e tiveram que nos separar".

Algumas testemunhas concordam que a faísca foi a seguinte frase: "Tem que correr até a última bola, não deixa que antecipem a jogada, vai para a puta que o pariu!". Burdisso prefere contextualizar:

> Leo estava passando por maus bocados naquele torneio. Começavam a pôr em dúvida seu compromisso com a seleção. Um compromisso que para nós sempre esteve muito claro: ele sempre foi argentino de coração. Nesses anos, jogamos amistosos horríveis, tínhamos que viajar por muitas horas. E ele nunca faltava e sempre tinha uma obsessão tremenda de ganhar.

O relacionamento entre eles não tinha começado da forma ideal. Em um dos primeiros treinos para a Copa do Mundo de 2006, diante de uma jogada de efeito, o ex-zagueiro tinha dado uma pancada violenta sem cerimônias, o que teria gerado uma recriminação de Leo que ninguém ousa desmentir:

> — Por que você vem pra cima de mim e não faz o mesmo nos outros que têm mais experiência?
> — Porque você é quem marca, não os outros.

Burdisso não quis se referir àquele momento; simplesmente tem a plena certeza de que:

> Ainda hoje temos um claro respeito mútuo. Além disso, eu tenho muita admiração por ele; não chega a ser um flerte, que não pega bem. Mas sempre o admirei e isso é uma coisa que tento transmitir aos juvenis que sonham em jogar profissionalmente: antes o ídolo tinha privilégios, hoje os melhores se vêm nos treinos. Messi sempre foi o mesmo, tanto nos treinamentos quanto nos jogos. Competitivo ao máximo, sempre queria a bola. Obviamente ficava irritado se não a passávamos. Nesses casos, tínhamos que lhe dizer alguma coisa.

Se tem alguém que é conhecido por ter chacoalhado aquele adolescente baixinho, este era o Gabriel Milito:

> Dei uma entrada dura num treinamento durante a Copa do Mundo de 2006, pois era impossível pará-lo. Não era folgado nem exibicionista, simplesmente jogava assim: arrancava e brecava, saía a toda velocidade e novamente parava. Certa vez, durante um treino ele fez isso quando seu time estava ganhando de goleada e dei uma entrada que o fez voar. Mais tarde, fui pedir desculpas a ele no quarto. Ele dava um baile na gente, um dia sim e no outro também. Nunca tinha visto algo parecido. Quando voltei da Copa comentei com o meu pai que tinha conhecido alguém que ia se tornar o melhor de todos. Eu pressentia. "Isso é impossível, não nasceu ninguém que possa ser melhor que Maradona", respondeu. É o que sempre tínhamos acreditado. Mas surgiu Leo.

Na Copa de 2007, Messi vivia acobertado por Juan Sebastián Verón e Milito, aquele que no mês posterior seria seu companheiro no Barcelona:

> Tive a sorte de compartilhar quatro anos com ele. Olhava para ele e já sabia como estava. Podia sentir seu apreço e a abertura que

MESSI — O GÊNIO COMPLETO

> me brindava com sua confiança. É difícil conquistá-lo. Sua figura inibe os jogadores e técnicos. Aquele time era maravilhoso. E Leo já era uma realidade. Na Venezuela começou a fazer a diferença que víamos constantemente nos treinamentos.

Na comemoração do gol contra o México, ficou muito clara a cumplicidade de Leo com Verón. Pulou em cima dele para festejar. Reincorporado por Basile depois de ficar encostado na era de Pékerman, Verón podia liderar o caminho graças aos dez anos de trajetória vestindo as cores da seleção argentina.

> Quando cheguei à seleção tinha jogadores de muita experiência: Pipo Gorosito, Gustavo Zapata, Sergio Berti. Jogadores que, mesmo sabendo que poderiam não ter continuidade, queriam acolher aqueles que estavam começando. Particularmente sempre fui de prestar atenção no emocional. Em um grande time como aquele da Copa América, era de Leo que mais tínhamos que cuidar.
>
> Não sou de beber Coca-Cola, mas com ele eu tomava um copo — continua Verón. Sentia que tinha que me aproximar. Na concentração na Venezuela, chegamos a jogar *futnet* em um quarto até às 2 da madrugada. A mesma lembrança que na Copa do Mundo do ano anterior: a bola, sempre como ferramenta de inclusão e de diversão. Às vezes, eu conseguia fazê-lo pensar em outras coisas que não fosse o futebol. Perguntava pelos seus pais, pelos irmãos. E eu contava as minhas experiências.

Ser Messi tem suas dificuldades: não somente quando se trata de Lionel, os outros também vivem dentro desse círculo, ligados ao famoso da família.

Aquele 3x0 sobre o México foi também um dos catorze jogos nos quais Leo coincidiu dentro de campo com seu ídolo da pré-adolescência, Pablo Aimar. Aproveitaram o tempo juntos: em apenas 6 minutos, Messi deu seis passes para Aimar, e este devolveu três passes para o Leo.

Bastidores de um gol

Israel Castro, um dos zagueiros mexicanos, cortou justo um remate de cabeça que tinha dado Aimar ao Palacio na pequena área depois de um passe bem sutil de Leo.

Tinham-se conhecido em dezembro de 2004; aquela vez, não passou de um mero encontro no fim do empate de 1x1 entre Barcelona e Valencia, no qual Aimar o cumprimentou e lhe ofereceu a camisa. A única vez que ambos começaram como titulares na seleção foi na vitória frente ao Peru em 2009, pelas eliminatórias: naquela noite chuvosa que teve a explosão do gol agonizante na última hora de Martín Palermo, ali se deu a despedida de Aimar pela seleção. Tinham se associado com a cumplicidade que dá o futebol bem jogado em uma partida em que poucos lembram daquele triunfo, em um amistoso perante a Angola em Salerno, Itália.

Em março de 2008, Pablo Aimar, disse em uma entrevista ao jornal *Marca* da Espanha: "Quando Leo era adolescente, eu era muito rápido e driblador. Acredito que tenha me idolatrado porque pegava a bola e encarava os rivais. Porque não perdi a alegria de jogar". Também o definiu do seu jeito: "Acorda de manhã e sabe se vai ganhar o jogo". "Está se retirando um grande, um dos meus ídolos. Obrigado por tudo o que pudemos desfrutar com a sua magia", escreveu Leo nas redes sociais, perante a aposentadoria de Aimar do futebol em 2015.

No calor da Venezuela quando o México até insinuava empatar o jogo, outro companheiro de Messi sentiu o faro do gol, apenas dominou a bola passada pelo Carlos Tévez: Fernando Gago.

Controlou a bola e percebi que ia dar um toquezinho suave com a ponta da chuteira. Nos treinos, tinha feito isso várias vezes. O que me chamava a atenção era a facilidade que tinha para repetir no campo os movimentos que fazia dos treinos. Com Basile, trabalhávamos muito em espaços reduzidos, e ele tinha uma condição que vi em poucos: nunca errava o gol.

Gago foi um dos meio-campistas centrais com os quais Leo melhor se adaptou e que melhor lhe entendia dentro do campo durante os mais de quinze anos na seleção. Comenta Fernando Gago:

> Jogar ao lado dele me dava a sensação de que tinha sempre um tempo a mais para continuar a jogada. Sempre ia receber a bola bem posicionado. Além disso, ele me permitia assumir certo risco: se eu passava a bola com muita força, ele de todas as formas conseguia dominá-la.

Com respeito à eterna discussão se o Messi simplifica o jogo ou se se adaptar a ele gera um problema, ele tem sua opinião argumentada:

> É complicado. Tem que saber buscá-lo e também saber achá-lo; ora pela lateral, ora pelo centro. Jogar em sua velocidade física é impossível; tem que tentar se aproximar na velocidade mental. O passe tem que ser preciso porque sempre está marcado. Desde quando era pivete tinham que passar a bola para ele, sempre. Eu tentava esperar a hora certa, gerar o momento no qual estivesse um contra um. Contudo, Leo sempre pedia a bola. Poderia ficar irritado se não a tocasse.

Quase contemporâneos, já que Fernando é um ano e dois meses mais velho, se conheceram na prévia da Copa do Mundo Sub-20 que ganhariam sendo companheiros:

> Rapidamente nos entrosamos. Seis meses antes da Copa América na Venezuela, eu tinha assinado contrato com o Real Madrid, logo depois de o Barcelona também se interessar por mim. A imagem de Fernando Redondo com a camisa do Madrid tinha sido

Bastidores de um gol

> crucial na minha escolha, ainda que, com o tempo, passei a perguntar o que teria acontecido se tivesse ido para o Barça. 'Poderia ter vindo', dizia Leo. 'Poderia ter insistido', eu respondia.

Em meados de 2007, tinham coincidido somente em um clássico espanhol: um 3x3 que o Real Madrid estava ganhando, e Messi conseguiu buscar o empate, marcando nas três vezes.

Se Gago imaginou como marcaria aquele gol no goleiro mexicano, para Javier Mascherano algumas resoluções do Leo ainda eram novidade:

> Não o conhecia totalmente. Apenas o tinha visto em alguns treinos da seleção, além do que ele já fazia no Barcelona. Fernando levava vantagem sobre a gente porque foram companheiros no Sub-20; para mim ainda era uma bela surpresa.

Mascherano ainda teria tempo de se familiarizar. Seria companheiro não somente por doze anos na seleção, mas também ao longo de oito temporadas no Barcelona. Conviveria com o excepcional:

> Com o tempo eu o vi fazer de tudo. Nós que desfrutamos o dia a dia com ele, temos lembranças de dezenas de jogadas incríveis, em frações de segundo para decidir, e muitos rivais na marcação. Ele é único pela facilidade com que se movimenta nas dificuldades. Tem duas virtudes fundamentais que poucas vezes se vê em um jogador: tomar decisões e executar. Geralmente faz a melhor jogada e a executa com perfeição.

Também no livro *Generación Lio*, Basile se referiu àquele gol para separar as condições futebolísticas da personalidade:

> Messi é inexpressivo; não tem carisma. Por isso, acredito que não possa ser o capitão da seleção argentina. Mas, quando me

lembro daquele gol de cobertura no goleiro mexicano, que era para acabar o jogo e fechar o estádio, tiro o chapéu e fico quietinho.

O Coco tinha celebrado do seu jeito, abrindo os braços e girando as palmas das mãos para cima como expressão de assombro, apesar do fato de ter recebido a bola de um lugar que ele havia pedido que não jogasse:

Eu lhe dizia que ficasse atrás do rival com o número 5 e fosse sempre para cima dele, pois, com sua habilidade, poderia driblar e logo ficaria de cara com o goleiro. Mas não tinha jeito. Em um piscar de olhos, estava na lateral do campo, na ala direita mastigando a grama. Porque ele mastiga a grama que vai arrancando do campo durante o jogo. Mas, de repente pegava uma bola e driblava uns três, embora não com a velocidade de Caniggia, mas o fazia com a bola grudada no pé, como somente ele é capaz de fazer, e ganhava o jogo sozinho. Então, não podíamos falar nada para ele. Por isso, a melhor definição que caberia a esse garoto como futebolista é que é um filho da puta.

Perto de Basile, no banco de reservas, comemorou Hernán Crespo: "Estava fora do jogo, pois tinha uma ruptura no quadríceps que me tirou de quase toda a Copa América. Mas, no momento em que Messi a tocou de bico, saí correndo para gritar o gol". Crespo tinha se lesionado no chute do pênalti que empatou em 1x1 contra a Colômbia, na primeira partida, e que depois seriam despachados no segundo jogo com o placar de 4x2.

Em uma partida completa e em vinte minutos de outra, fiz três gols; os dois primeiros, contra os Estados Unidos. E um deles foi uma clara demonstração do que esse garoto era capaz de fazer. Eu só tinha que me afastar. Em vez de ficar perto e tentar uma troca de passes, eu me afastava. Foi assim que ele atraiu os rivais e me deu a bola na cara do gol. Sempre ressaltei que o goleiro e o número 9 conseguem ver o jogo inteiro. Eu sabia que era um luxo jogar com ele. Meses depois, Diego Borinsky me perguntou na revista

Bastidores de um gol

> *El Gráfico* quem tinha me surpreendido mais: o Kaká, de quem fui companheiro no Milan, ou o Messi. A minha resposta foi "Messi é Maradona, e Kaká é Gullit. A questão é que Kaká já é Gullit, e Messi ainda não é o Maradona". Até então, não era o melhor do mundo, mas estava a caminho.

Tévez, Riquelme, Burdisso, Milito, Verón, Aimar, Gago, Mascherano, Crespo, Basile, sem exceção, podemos dizer que todos tinham certa relação com Messi. Naquela época, a maioria dos jogadores da seleção principal faziam parte da elite do futebol mundial. A esses teríamos que acrescentar Javier Zanetti, Roberto Ayala, Gabriel Heinze, Esteban Cambiasso e Diego Milito, entre outros. Possivelmente, como chegaram a dizer, este foi um dos grupos de jogadores de maior renome que vestiu a camisa da seleção argentina em toda a história.

Burdisso relembra: "Era um elenco fora de série. E o Coco Basile controlava muito bem essas situações de possíveis brigas de ego. A melhor seleção da qual fiz parte. Na final, fomos vencidos pela tática do Brasil". Crespo acrescenta: "O elenco era impressionante. Não era comum os titulares irem para a Copa América; de fato, foi a única que tive que jogar. Tínhamos um nível altíssimo em todas as linhas". Gabriel Milito não duvida: "Tínhamos tudo para sermos campeões. Mas jogamos mal na final e nos dominaram psicologicamente".

A Argentina tinha ganhado as cinco partidas anteriores, com uma média de 3 gols por jogo. O Brasil não tinha escalado para aquela Copa América o goleiro Dida, Kaká, Ronaldinho e Ronaldo, e, para o jogo decisivo, havia ficado sem seu capitão, Gilberto Silva. No entanto, de todas as formas, contava com atletas notáveis que começavam a despontar no cenário mundial, como Daniel Alves; tão desconhecido, que o narrador da rádio *Continental*, Víctor Hugo Morales, uma das vozes mais

MESSI — O GÊNIO COMPLETO

conhecidas do futebol, o chamou de Dani. Contudo, o Brasil saiu com a vantagem aos 4 minutos e dominou toda a partida, de tal maneira que ganhou aquele jogo por 3x0 no segundo tempo.

Adrián Piedrabuena escreveu no jornal *Olé:*

> A seleção nos voltava a enamorar. E com seus melhores encantos. Era o filme do ano. O técnico que voltava para conquistar outra Copa, a terceira, e para se redimir parcialmente da dor de 1994. Riquelme e seu retorno, depois de renunciar, para terminar de conquistar os que ainda duvidavam. Verón, outro retorno, para poder ser capaz de não repetir o passado. Messi, para tomar posse do título de herdeiro. Nem em Hollywood poderiam ter pensado em um livro tão bom. Mas, por causa daquela final, é para chorar. Teremos que procurar outro roteirista que saiba contar por que o Brasil se renova, e a Argentina, não. Pois nem sequer somos capazes de vencê-los quando as estrelas deles não estão presentes. Porque eles se adaptam e deixam de lado o famoso *jogo bonito* contra a nossa seleção.

Desse jeito, começou a se desenrolar a história completa de Messi na seleção: daquelas pequenas histórias similares àquelas que depois se tornaram de praxe. Histórias nas quais o roteiro insinuava uma final sonhada, mas, de repente, o encanto se quebrava. Ninguém culpou muito aquele garoto que tanto prometia e que já estava sendo uma realidade. O garoto que voltaria a ficar cabisbaixo depois de ver derrotada sua seleção no jogo decisivo, quase esparramado no campo do estádio Pachencho Romero; dessa vez, enquanto o eterno rival vibrava com a conquista.

Capítulo 5

RELATO DE UMA EMOÇÃO ALHEIA

5

NO CINEMA, TERIA SIDO mais motivador ver o Messi da seleção do que o do Barcelona. Pelo menos até o momento em que o clube de toda a sua vida[1] começou a perder as fases finais na Champions League, uma atrás da outra e cada uma pior que a anterior. Antes disso, sua carreira no futebol europeu parecia uma ficção da qual ninguém poderia montar um enredo, por ser exagerado. Todos, porém, sabem que a derrota inspira mais que a vitória.

Com a camisa que tanto sonhava usar desde sua adolescência, a da Argentina, a narrativa sobre Messi consiste no declínio, algo que ninguém deseja. A de Diego Maradona, pelo contrário, beirou aos limites, ao proibido, àquilo que a maioria quer. Obviamente não é a única diferença.

Maradona ganha no drama. A Messi, isso pouco importava.

Maradona construiu historicamente frases inesquecíveis. Messi demorou a fazer declarações interessantes, além do cotidiano.

No ramo futebolístico, Messi perde na comparação porque está em desvantagem: todos fazem um contraste com aquele Maradona de 86, não com o Maradona em geral, cuja média foi abaixo daquele mês glorioso da Copa do Mundo; logicamente abaixo; aquilo foi uma exceção. Além disso, Messi briga — "briga", na realidade, é mais um jogo da mídia e mais popular do que pessoal — contra o impossível. Ele é analisado sob a dureza da atualidade, não com a melancolia do que aconteceu. É cobrado, mas ainda não lhe agradecem.

[1] Até agosto de 2021, quando se transferiu para o PSG. [N. do R.]

MESSI — O GÊNIO COMPLETO

Aquele que o torna segundo também o torna diferente. Ou, então, faz contra o Getafe em vez de fazer contra a Inglaterra na Copa do Mundo. Quem chega em segundo sempre chega em desvantagem.

Antes da Copa do Mundo de 1994, Maradona chegou a dizer: "Preciso que os argentinos precisem de mim". Tinha então 33 anos. Messi terá 35 na Copa do Mundo de 2022. Com certeza, já estará mais solto. Mas dificilmente pedirá algo semelhante.

Também tiveram ou têm suas coincidências, claro: em termos técnicos, físicos e de criatividade. O primeiro em achá-las foi Fernando Signorini, que trabalhou com ambos os jogadores. Foi preparador físico especial do Maradona quando era jogador e fez parte da comissão técnica do Maradona quando foi treinador na África do Sul em 2010, época em que Messi já era o melhor do mundo:

> Lembro-me de ficar surpreso pela primeira vez com Leo, quando o vi tomar banho depois do 4x0 em cima da Venezuela. Com o tempo, mudou seu físico, mas, nesse dia, surpreendeu-me pois não se tinha nenhum músculo. Talentos extraordinários como os dele podem ser entendidos pela coordenação neuromuscular. É o que lhe permite encontrar soluções e atalhos no futebol, e o que sempre o levou a evitar faltas. Igual ou mais que Diego, que o superava em força.

Signorini sempre tem uma piada pronta para contar:

> Na Copa do Mundo de 1990, com Diego fomos visitar a Antonio Dal Monte, médico e diretor científico do Comitê Olímpico Italiano. Disse-me que Maradona poderia ter sido um grande piloto de guerra pelo campo visual que possuía, superior ao de qualquer pessoa. Vinte anos depois, em um treinamento prévio para a Copa do Mundo da África do Sul, Diego me pediu para reunir os jogadores. Messi chegou olhando para baixo, tocando a bola. Eu me aproximei dele

Relato de uma emoção alheia

> com a intenção de pegar a bola e dizer que ali tinham que erguer a cabeça, que não deviam permitir que alguém a tocasse. Assim que eu quis fazer isso, ele a mudou de lugar. Continuei andando, dando a entender que não quis fazer aquilo que havia tentado fazer. No ato, lembrei da concepção do Dal Monte. Costuma dizer que esses craques têm olhos na nuca. São dotados de um tremendo campo visual.

No pior dos cenários que mostre a comparação a um dos dois, por que seria ruim ser considerado o segundo melhor jogador da história de um país? Por que não podemos valorizar e ponto final? Não tem jeito, sempre estaremos à procura de alguém que seja melhor. No contraste de personalidades, por que um profissional excelente em várias áreas tem a obrigação de se sobressair em outras? A personalidade do líder tem que ser igual a de todos?

Alejandro Mancuso foi o assistente principal daquela comissão técnica de Maradona. Além da polêmica separação entre eles e da confiança perdida, ele os viu de perto:

> Diego superou obstáculos com sua personalidade e caráter. Nessas duas áreas, Leo não o pode superar, mas no futebolístico, sim. Hoje se joga de forma diferente, correm a 100 quilômetros por hora; no meio-campo, tocam duas vezes na bola, e ela desaparece. Nós a movimentávamos com outra cadência, não tínhamos tanto ritmo. E, nesse futebol tão físico, ele ridiculariza o resto. Com esse nível de velocidade, mata todos os demais.

Jorge Messi, pai do Leo, traz uma lembrança única que muda o cenário, quando os comparamos:

> Não é verdade que não gostava de futebol quando era pequeno. Sempre foi apaixonado. Íamos juntos assistir ao Newell's. E, quando começou a jogar no clube, aos 7 anos, virou um hábito. Até mesmo, teve a chance de assistir a alguns jogos de dentro do campo.

> Quando tinha 10 anos, em um jogo contra o Unión de Santa Fe, começou a fazer embaixadinhas no intervalo do jogo e a galera cantava "Maradó, Maradó...".

As imagens trazem a data correta para os detalhistas: Newell's 3x0 Unión, 31 de agosto de 1997, pela segunda etapa do Torneio de Apertura.[2]

Na África do Sul de 2010, bateram de frente dois planetas. Ou, melhor dizendo, podemos afirmar que se mesclaram as personalidades das duas figuras mais importantes da história do futebol argentino. A catarata explosiva e a água do manancial. O abundante e o suficiente. O magnetismo e a atração. O desejo de transcender e a obsessão por ganhar.

Próximo daquele vínculo, Signorini lembra: "Diego o amava como a uma criança. Nós nos juntávamos depois de jantar com a comissão técnica e ele enchia de elogios. 'Admiro como ele joga. Você fica vidrado', dizia". Por outro lado, Juan Carlos Crespi, o dirigente que esteve com a delegação durante a Copa do Mundo, considera que "não havia uma relação especial entre Maradona e Messi. Diego o tratava como os demais. Aliás, era do Verón que ele mais se aproximava".

Uma lembrança daquela Copa do Mundo aconteceu na fria Polokwane, capital de Limpopo. Ali construíram um dos cinco estádios especialmente montados para aquela Copa do Mundo, que se chamava Peter Mokaba. Esse nome tinha provocado controvérsias: ainda que Mokaba tivesse sido um militante ativo na luta contra o *Apartheid*, também o acusavam de ser responsável da violência contra a população

---

[2] Termos usados no futebol argentino até 2012, quando era realizado em duas fases: *Apertura* (que começa no segundo semestre) e o de *Clausura* (que começa no primeiro semestre do ano seguinte). Hoje se mantém o formato, mas são denominados de Torneio Inicial e Torneio Final. [N. do R.]

Relato de uma emoção alheia

branca sul-africana, diferentemente da mensagem desprovida de rancores de Nelson Mandela.

A seleção argentina já estava nas oitavas de final pelas vitórias conquistadas em suas duas primeiras apresentações. Sem necessidade de conquistar resultados, Maradona decidiu dar descanso aos que habitualmente jogavam como titulares no jogo seguinte em Polokwane contra a Grécia. Somente três deles entrariam na equipe titular: Sergio Romero, Martín Demichelis e Messi.

A rotação obrigou a reconsiderar quem seria o capitão, e o escolhido foi Lionel, dois dias antes de completar 23 anos, pela primeira vez em toda a sua carreira. "Foi algo simbólico", conta Mancuso. "Quis fazer o mesmo que o Bilardo fizera com ele, quando lhe tirou a faixa de Passarella", compara Signorini.

Um dos requisitos daquele que leva a faixa de capitão é o discurso prévio ao jogo. Messi não estava acostumado:

> Foi espetacular ser o capitão pela primeira vez. Creio que travei quando quis falar. Não sou de falar muito. Sou daqueles que pensam que cada um sabe o que tem que ser feito, não gosto dos discursos motivacionais. Fui criado em Barcelona, por isso não dou muita importância. Sou capitão do meu jeito. Eu cresci em outro lugar, não no meu país, e sou assim — reconheceu nove anos depois em um bate-papo com Gastón Recondo e Esteban Edul para o TyC Sports.

Mariano Andújar, o goleiro titular durante oito anos nas convocações da seleção, foi testemunha: "Leo disse que estava um pouco nervoso. E ali puderam escutar Maradona dizer: 'Se você está nervoso, como será que estão os demais? Fala o que você quiser e vamos para o campo' ". Martín Palermo acrescenta: "Custou-lhe muito o discurso. Era tímido. Saíram as primeiras palavras e acabou". Maximiliano Rodríguez completou:

MESSI — O GÊNIO COMPLETO

"Leo disse algumas palavras e nada mais. Quem tomou a dianteira foi a Bruxa[3]". Juan Sebastián Verón ri com a lembrança: "Disse duas frases e finalizou com um: 'Vamos, puta que o pariu!'. Eu simplesmente completei o discurso, do jeito que com o tempo faria Mascherano".

Mascherano era o habitual capitão daquela seleção:

> Leo ainda não tinha completado seus 23 anos naquele jogo da Copa do Mundo. Eu também ficava travado nessa idade. Não era fácil falar para um elenco de jogadores tão experientes, como Verón, Heinze e Palermo.

Verón acrescenta:

Leo não tinha a necessidade de falar muito. Não tem necessidade. Já é suficiente com aquilo que ele é. Ele representava e representa na hora do jogo. Além disso, é parte de uma geração que se comunica de maneira distinta. Nós crescemos com a imagem de Maradona, Ruggeri e Simeone, líderes mais efusivos. Mas as novas gerações são diferentes, não somente o Leo.

Ao comentar sobre isso, Andújar concorda:

> Para ele o exemplo é suficiente. Culturalmente, temos a visão de que o líder é um chefe. E esta não é a única maneira de liderar. Estou certo de que Caniggia era um líder, mas quase não se ouvia sua voz.

Maxi Rodríguez compartilha a experiência que adquiriu ao ter jogado na Espanha e na Inglaterra:

> O futebol tem as caraterísticas de cada sociedade. Ainda que acreditemos que somos os melhores, um discurso não quer dizer

---

[3] Verón era apelidado como "La Bruja", a bruxa. [N. do R.]

Relato de uma emoção alheia

> que depois se joga melhor ou pior. Leo é assim mesmo. Ele já tem uma
> responsabilidade muito grande de jogar da forma em que joga e de
> estar sempre à altura das expectativas geradas. O melhor que pode
> lhe acontecer é que os outros façam aquilo que ele não consegue.

Sebastián Beccacece, que faria parte da comissão técnica da seleção sete anos depois, amplia o conceito: "Além de ser o número um, Messi gera ao redor dele uma linha de conduta de humildade e perseverança. Estávamos acostumados a outro tipo de liderança, mas a discrição também tem de ser valorizada na pessoa".

Alejandro Mancuso conclui a ideia:

> Maradona gritava, tentando levantar o ânimo dos companhei-
> ros. Já Messi lidera com o silêncio. De que maneira? Se tem que
> cobrar um pênalti, vai e pega a bola; se tem uma cobrança de falta,
> se encarrega de bater; se o jogo está para acabar, ele pede a bola.
> Depois que o jogo termina, acabou. Não era de chacoalhar o grupo
> no vestiário, nada disso. Um deles exteriorizava todas as emoções.
> O outro leva por dentro um estado de sofrimento, que, embora não
> se deixe transparecer, deve acabar com ele.

Aqui novamente ficam expostas as diferenças.

Os médicos geralmente conhecem o elenco; feitas as suas análises, percebem a individualidade de cada jogador. Enquanto outros observam para corrigir um exercício, eles analisam. Donato Villani era o médico daquela seleção:

> Messi não ficava bravo, não gritava, não era irascível. Era, e con-
> tinua sendo, um garoto sem maldade. Ele nem sequer zombava de
> um colega na frente dos outros; somente o fazia rodeado dos que
> sempre estão com ele.

Seu grupo estava claramente delimitado. Era assim como, nos amistosos prévios à Copa do Mundo, a ordem dos quartos tinha sempre os mesmos jogadores: Messi e Agüero dormiam na mesma habitação. Mas, na África do Sul, Maradona determinou que Leo compartilhasse o quarto com Verón. Uma década adiante, Diego teria a Verón como seu adversário. No entanto, nesse momento, enquanto embasava seu trabalho mais na formação do grupo que da equipe, o rei queria que seu herdeiro passasse as horas de descanso com a voz da experiência por perto.

No entanto, durante o dia o rio voltava a seu curso normal. Os treinos pela manhã durante a Copa do Mundo eram opcionais. Os jogadores poderiam escolher aquilo que os deixasse mais seguros: academia, fisioterapia ou outra tarefa de campo; Messi escolhia normalmente o *futnet*.

— Leo, com quem você vai jogar? — perguntavam.

— Com *Fideo*[4] e com o Kun (Agüero) — respondia sempre.

A seleção tinha se classificado a duras penas para aquela Copa do Mundo, mas se transformou em uma revelação nas primeiras jornadas. Entre tantas opiniões desencontradas, que foram mudando no decorrer dos resultados, podemos extrair a do jornalista John Carlin, no jornal *El País*, da Espanha. O jornalismo gráfico consegue expor mais que o da rádio e o da televisão.

Em abril de 2010, tinha passado pelo inconsciente de Maradona a ponto de argumentar que este sugava a confiança de Messi, essencial no Barcelona, mas apagado na seleção: "O problema não é a cor da camisa; a criptonita desse Superman é o Maradona. É Maradona

---

[4] "Macarrão", apelido de Di María.

Relato de uma emoção alheia

consciente do impacto destrutivo que causa sobre o Messi, e sobre si mesmo como técnico?".

No dia 20 de junho, após as vitórias da Argentina sobre a Nigéria (foi o dia em que Diego disse "tirar a bola do Leo é como tirar de mim esta maçã, e estou com uma fome...") e sobre a Coreia do Sul, o mesmo Carlin escreveu na publicação: "Maradona teve toda razão naquela controversa terapia psicológica que impôs a Messi: perfeitamente afinada para que, quando chegasse a Copa do Mundo, estivesse psicologicamente preparado".

A única criptonita de Lionel Messi na África do Sul era nada menos que o gol rival. E já era um temível goleador. Já tinha passado um ano desde aquele momento quando Josep Guardiola o fez jogar na posição de falso 9, antes da prévia de um 6x2 diante do Real Madrid. Guardiola já tinha decidido assim para que o rival não tivesse referência e, segundo disse Diego Simeone, que lhe contou o próprio Guardiola, para que deixassem de atacar pelo lado direito, por onde jogava o Messi.

A temporada 2009/2010 foi a primeira na qual superou os 40 gols em uma única temporada jogando pelo Barcelona (47 em 53 partidas); somente ficaria abaixo dessa marca na temporada 2019/2020.

Mancuso assegura que:

> Teve um nível muito bom na Copa do Mundo. À medida que passavam os jogos, o que acontecia com o gol era incrível. Contra a Nigéria, o goleiro defendeu todas. E, sem fazer gol, a sua figura não tem destaque. Naquele tempo, já estávamos acostumados a perguntar quantos gols havia marcado em cada fim de semana pelo Barcelona. É isso que o mundo espera que faça. Messi é sinônimo de gol. Fez uma quantidade descomunal em sua carreira, quebrou todos os recordes. Até ele mesmo deve

> crescer emocionalmente quando faz gols. O gol o anima; ele se
> transforma em outra pessoa.

Em sua estreia contra a Nigéria, teve cinco situações claras de gol: o goleiro Vincent Enyeama conseguiu evitar dois gols certeiros no primeiro tempo, uma que chutou na primeira trave e passou raspando, sua típica jogada da direita para o meio com um chute desviado; e na outra não conseguiu tirar do goleiro Enyeama, dentro da pequena área.

Contra a Coreia do Sul, finalizou depois de escapar pela esquerda, mas o goleiro Jung Sung-Ryong defendeu com o pé; em seguida Leo pegou o rebote e chutou, pois ele já tinha visto o gol vazio, mas a bola bateu na trave direita atravessando a linha, até que, quase debaixo do travessão, estava Gonzalo Higuaín para marcar o segundo dos três que fez naquele jogo de 4x1 para a Argentina. Fazia todo o trabalho, e os outros apenas completavam.

Contra a Grécia, no dia 22 de junho, chegou à gota d'agua.

Quem contextualiza é o goleiro grego daquela tarde, Alexándros Tzórvas:

> Todos falavam que Messi, quando não conseguia marcar um gol, ficava sob muita pressão. Acredito que geralmente joga pressionado em sua seleção. Posso imaginar isso porque o povo argentino é muito passional como o nosso. Desde que o início do jogo, guardo duas lembranças: a primeira, ver o Diego Maradona no campo rival, é incrível; a segunda, as vuvuzelas, esses aerofones cilíndricos sul--africanos com o barulho de cornetas fortes, insuportáveis.

Com esse contínuo ruído enlouquecedor, aquela partida, de 22 de junho de 2010, foi um dos poucos jogos nos quais sofreu uma marcação pessoal. Seu marcador foi Sokratis Papastathopoulos, que, nesse

Relato de uma emoção alheia

momento, jogava no Genoa, da Itália, e que foi transferido do Borussia Dortmund, da Alemanha, para o Arsenal, da Inglaterra, por 19 milhões de euros. Não foi o único que Messi enfrentou nesse dia. O capitão grego Giorgos Karagounis discutiu com ele, e Maradona saiu em sua defesa aos berros. E do seu jeito: "Karagounis! Que caralho você está dizendo? Seu puto".

Da metade do campo para a frente, a Argentina tinha jogadores de sobra para substituir: Higuaín, Agüero, Tévez, Diego Milito, Palermo. A presença deste último na lista parecia mais uma argumentação mística do que futebolística.

Sem resultados coletivos nem individuais, Maradona o tinha convocado para as últimas partidas das eliminatórias, assim como o Rolando Schiavi, que, ao receber a ligação, perguntou se era uma brincadeira, no programa de televisão de Marcelo Tinelli. Palermo, aos 36 anos, e uma década depois de seu último jogo pela seleção, acabou convertendo diante do Peru o gol milagroso da classificação para a Copa do Mundo. "Eu já não sonhava em voltar a ser parte do grupo da seleção; se tivesse acontecido antes, teria muito mais lógica, mas, nesse momento, estava fora do meu alcance — reconhece hoje.

Palermo também lembra a sensação que teve ao estar em contato com Messi:

Conduzia a bola com uma velocidade incrível. Era impossível saber em qual momento ia dar um passe. Tinha que estar sempre alerta. O camisa 9 tem que dar opções de passe ou abrir espaço para o chute. Contudo, era muito difícil não ficar hipnotizado com aquilo que fazia. Queria demonstrar aquilo a que assistíamos pela televisão. A destreza, o controle de bola, as soluções rápidas... Tudo era impactante.

Mancuso retoma o fio do jogo:

> Pelo menos nessa época, Messi nunca pediu por nenhum jogador. Pelo contrário, era extremamente respeitoso. O que era evidente é que nunca queria ser substituído. Por isso, contra a Grécia também jogou desde o começo. Não existia nem a mais remota possibilidade de tirá-lo nos últimos minutos para que se cuidasse.

Todos aqueles que foram técnicos de Messi alguma vez concordam com uma caraterística: ficava irritado se tivesse que sair. Assim o entendeu rapidamente Josep Guardiola, que até mesmo chegou a aconselhar a outros treinadores para que nunca o substituíssem.

A propósito, Francisco Ferraro contou na rádio Cadena 3 de Santa Fe, Argentina, em junho de 2020:

> Depois de um jogo contra a Alemanha no qual expulsaram o Chaco Torres, ao ser substituído, não gostou. No hotel, ele se aproximou de mim e pediu desculpas: "Fiz cara feia", me disse. "Está tudo bem", respondi. "Contudo, não faça isso com o Guardiola". Mas, no final das contas, ele fez com todos.

Mancuso acrescenta: "Nós o mandamos para o campo porque nunca queria estar fora; além disso, queríamos que fizesse esse bendito gol e ganhasse autoconfiança". Palermo completa com o que sentia quando estava no banco de reservas: "Todos estávamos ansiosos pelo gol do Messi".

Antes disso, Tzórvas, o grego, desviou um tirambaço de canhota. Faltando 5 minutos para o fim do jogo, outra bomba de canhota, mas esta bateu na trave. Quando faltavam 90 segundos, os destinos se cruzaram.

Relato de uma emoção alheia

Na coletiva de imprensa depois do jogo, Maradona disse que tanto Mancuso quanto Héctor Enrique, seu outro assistente, queriam que entrasse Gonzalo Higuaín, mas ele decidiu que entraria o Palermo. Mancuso relembra: "Diego me pediu para que chamasse Martín Palermo. E lhe fez um pedido simples: 'Entra e faz um gol' ". O quinto atacante daquele time, ainda que com o otimismo de sempre, começa a se emocionar:

> Estava tão envolvido na partida que nem me dei conta daquilo que ele me falou. Acredito que me avisou que ia ter uma chance. Na primeira que tive, chutei apressado, querendo demonstrar. A segunda bola que toquei foi o começo da jogada do gol. E a terceira definitivamente foi inesquecível.

Aos 43 minutos do segundo tempo daquela fria noite de Polokwane, com o jogo em 1x0 pelo gol feito por Demichelis, Palermo tocou aquela segunda bola de toda a sua vida em Copas do Mundo. Recebeu de Ángel Di María e, de primeira, lançou para o Javier Pastore, que rapidamente procurou Messi. Tzórvas o via chegar:

> Nunca vou me esquecer da velocidade que o vi ter nessa partida e depois em outros jogos para o Barcelona quando eu jogava para o Panathinaikós. Isso é o que faz dele o melhor da história, na minha opinião: brilha em um futebol diferente ao de outras épocas, um futebol no qual tem que resolver com apenas um toque e que obriga a jogar com mais inteligência.

Quando recebeu perto da área, Leo teve que pensar rápido. Controlou a bola de direita, com a canhota deixou para trás o Vangelis Moras, em seguida tocou para Di María, recebeu a devolução e, logo em seguida, driblou Avraám Papadópoulos. Tudo em uma fração de segundos. Ele se aproximou para tocar na bola e chutou. Se tivesse demorado um segundo, teria sido fechado por Loukas Vyntra ou Christos Patsatzoglou. Seis toques, uma tabela, dois rivais no caminho e o chute em 5 segundos, da direita para a meia lua, como converteu uma infinidade de vezes em sua carreira. Era suficiente na teoria, para quebrar esse momento de ineficácia na Copa do Mundo. Mas o chute, mesmo que tenha ido com força, foi bem no meio, no corpo de Tzórvas, que quase uma década depois e do outro lado do mundo, relembra: "Olhou direto para o gol e era óbvio que chutaria. Consegui fechar o gol, mas segurá-lo era impossível".

O rebote caiu nos pés do Palermo, que também estava superacostumado a fazer gols assim, por puro oportunismo: "Acreditei que ia ser gol do Leo. Fez uma jogada incrível. Mas o atacante tem que estar atento a um possível rebote. E caiu justo na minha frente". Gol de Palermo, aquele que estava esperando, como os demais, o gol do Messi. Gol de Palermo, o mito apareceu novamente, e com um detalhe a mais: de direita, o pé, que na maior parte de sua trajetória, usou somente para se apoiar.

Signorini não duvida: "Esse gol é a mais clara demonstração de que o culpado de Leo não ter sido campeão com a seleção argentina é o futebol, um esporte tão misterioso". Andújar corrobora: "Todos sabíamos que Martín ia fazer um gol. Leo fez uma grande Copa do Mundo, mas aí surgiu o destino de cada um".

A celebração foi emocionante, muito além de se tratar do segundo gol sofrido em uma partida que já não definiria nada. No banco explodiram. Na torcida, mais ainda. No campo, Messi pulou nas costas do Palermo, que ainda sorri:

> Pelo sentimento que tive quando a bola entrou e pela emoção que ainda me gera, coloco este gol no mesmo patamar daqueles dois que converti contra o Real Madrid na Copa Intercontinental e

Relato de uma emoção alheia

daquele que fiz contra o River quando voltei da lesão no joelho. Provavelmente esteja acima de todos. Na plateia estavam a minha mãe, o meu pai, o meu filho Ryduan, a minha esposa e uma amiga dela. Podem ser vistos na transmissão. Embora eu os tenha procurado durante a celebração, não consegui visualizá-los. Estavam abraçando todos os outros familiares.

Nunca um jogador de 36 anos tinha feito sua estreia marcando um gol na história dos mundiais.

O destino sempre reservou ao Palermo um título a mais:

Voltávamos para o centro do campo, e Leo me abraçou outra vez. Inesquecível. Ele se mostrava feliz, ainda que não tivesse marcado, e me cumprimentava. Tinha 23 anos, mas muitos de nós o admirávamos. Se tem uma coisa que lamento é de não tê-lo conhecido melhor. No ônibus, viajava a seu lado e me arrependo de não ter puxado mais assuntos para conversar. Nos dias livres que tínhamos, falava mais com os meus irmãos do que com ele. Ficava com vergonha.

Sim, o máximo goleador da história do Boca Juniors também o idolatrava.

Dificilmente outro futebolista argentino, além de Palermo, tenha boas lembranças da Copa do Mundo na África do Sul em 2010; menos ainda Messi. O final foi dramático: contra a Alemanha, no dia em que levamos de 4x0 nas quartas de final, Leo perdeu 12 bolas e chegou à soma de 30 finalizações na Copa do Mundo (14 no gol) sem converter nenhuma delas. Wayne Rooney, protagonista da Premier League naquela época, também não marcou. Cristiano Ronaldo converteu somente uma vez. Contudo, a imagem da frustração foi a de Leo. Aquela que se repetiria mais

MESSI — O GÊNIO COMPLETO

algumas vezes: Messi desolado emocionalmente; como consequência, no âmbito futebolístico com o olhar no chão.

Palermo reconhece o que as vitórias às vezes encobriram: "Não tínhamos tanto entrosamento. Além do mais, a Alemanha era uma máquina".

O jornalista Martín Arévalo, que tinha afinidades com os dois, relembra a volta para a concentração em Pretoria:

> Leo foi um dos que entraram no quarto de Maradona para lhe dizer que não fosse embora. Que aquela goleada não tinha sido culpa sua. Diego o tinha consolado antes de sair do estádio. O choro do Leo se escutava em todo o vestiário.

Maradona foi substituído por Sergio Batista, que declarou depois de seus primeiros jogos que via Messi feliz. Maradona não ficou quieto: "Batista somente pode fazer Messi feliz disfarçando-se de *Piñon Fijo*".[5]

Leo e Diego nunca mais voltaram a estar próximos. Maradona não poderia ter uma língua tão afiada como foi naquele outubro de 2018: "Não o endeusemos mais. Não pode ser líder alguém que vai 20 vezes ao banheiro antes de cada jogo. Existe um Messi no Barcelona e outro na seleção. É só mais um jogador".

No mês de agosto de 2009, entrevistado via web pela FIFA, tinha reconhecido que era muito difícil ser atendido pelo número 10 do seu time: "É mais fácil falar com Obama (que com o Messi). Em 2017, para o canal *Fox Sports* do México, voltaria a não ser atendido e mudou a comparação: "É mais fácil falar com Macri do que com Messi. Há muitos

---

[5] Nome de um palhaço famoso na Argentina. [N. do R.]

Relato de uma emoção alheia

filtros pelo caminho". Na Copa do Mundo de 2018, enquanto Diego fazia seu *show* nos estádios russos e Leo sofria porque a seleção estava se desintegrando, um esperava que o outro ligasse para agendar sua visita na concentração, e o outro não se sentia à vontade para ligar.

Quando Diego voltou ao país como técnico do Gimnasia y Esgrima La Plata, pôde sentir o amor de seus compatriotas como poucas vezes o tinha sentido, e ambos trocaram mensagens com carinho recíproco. O bom relacionamento entre os dois heróis de nosso futebol com certeza é o desejo de todos; ninguém gosta de ver seus pais separados.

Messi disse perante os meios da FIFA: "Quando eu o tive na seleção, me aproximei dele. Agora farei o mesmo. Fico encantado de vê-lo no futebol argentino". Diego lembrou em sua apresentação:

> Na Copa do Mundo de 2010, Leo deu fama a todos os goleiros e bateu em todas as traves. Preparei o melhor Messi e posso dizer isso na cara de qualquer um: driblava cinco por vez. Também lembro da questão das cobranças de falta: Leo começou a ensaiar quando terminávamos os treinos e íamos dar uns chutes. Ele me perguntava como bater na bola. "Bate nela no meio, é simples; vou ganhar o Oscar por lhes ensinar estas coisas". Batia no meio e não conseguia; hoje põe todas no ângulo.

Na África do Sul, em 2010, não foi somente o auge do relacionamento entre os dois melhores jogadores da história argentina (o melhor em termos de seleção e o melhor em termos de equipes?). Também ficou marcado como um exemplo de boa parte da carreira de Lionel Messi.

Imparável na fase de grupos, quando a individualidade é suficiente, e neutralizado nas quartas de final, quando o coletivo se impõe, sua segunda Copa do Mundo foi uma nova decepção. O futebolista que quebraria todos os recordes foi embora sem nem sequer celebrar. Batalhou de todas as formas, até mesmo em uma jogada na qual um companheiro aproveitou simplesmente porque estava no lugar certo. Uma jogada que normalmente era sua marca letal, com exceção de alguns momentos pontuais e, claro, com a camisa da seleção.

Capítulo 6

UMA TARDE IDEAL

6

UMA DAS PRIMEIRAS VEZES em que os ex-companheiros de Messi relembram que ele se fez ouvir, foi em 11 de novembro de 2011. No vestiário do estádio Monumental, em Buenos Aires, no intervalo de jogo do que terminaria em 1x1 diante da Bolívia, preocupante no individual e no coletivo, a queixa foi clara:

— Toquem a bola para mim! Se estiverem com problema, contem comigo. Toquem para mim.

Foi uma daquelas reações próprias da intimidade de um time, na qual muitos esperavam que acontecesse com mais frequência. Três dias depois, como resultado dessa atitude, aconteceu o episódio do 2x1 contra a Colômbia em Barranquilla, o dia em que a necessidade de virar o resultado levou Alejandro Sabella, o técnico, a juntar Messi com Sergio Agüero e Gonzalo Higuaín e, como consequência, tentar reestruturar a formação pensando mais naquilo que Messi queria, em vez de fazer o que o próprio técnico planejava.

No dia 12 de junho de 2012, não precisou dizer a nenhum de seus companheiros para que entendessem que estava inspirado. Já era costume que, antes de pensar em qualquer alternativa dentro do campo, eles primeiro prestassem atenção em onde ele estava.

Naquele dia, aconteceu o primeiro encontro entre Argentina x Brasil em solo estadunidense. O cenário foi o *MetLife* de Nova Jersey, onde jogam os Giants e os Jets da NFL, liga de futebol americano. A escolha pesou na capacidade do próprio estádio: mais de 84 mil pessoas poderiam assistir ao jogo em East Rutherford, subúrbio a 20 quilômetros de Nova York.

O empresário Guillermo Tofoni foi a força motriz por trás disso:

> No ano de 2006, tínhamos comprado os direitos dos amistosos da seleção argentina da companhia Renova. Henry Cárdenas tinha pago para organizar algumas daquelas partidas nos Estados Unidos. Kentaro e Pitch brigavam pelos direitos dos amistosos do Brasil. Nesse contexto, tive a ideia de juntar todas as partes envolvidas.

Henry Cárdenas é um empresário colombiano radicado nos Estados Unidos que levou de turnê o dueto argentino Pimpinela e representante do cantor latino-americano, Marc Anthony. Kentaro é uma empresa suíça; Pitch, por sua vez, é inglesa. O clássico do futebol sul-americano tinha se transformado em um negócio intercontinental.

Héctor Domínguez, que naquele momento era tesoureiro da AFA, relembra que "aquele jogo deixou em caixa 1 milhão e meio de dólares, além dos direitos de transmissão, por volta de mais ou menos 350 mil dólares. Contudo, as necessidades esportivas poderiam ter impedido o lucro econômico".

A eliminação nas quartas de final da Copa América de 2011, que foi disputada na Argentina, tinha gerado, com exceção das duras críticas, a chegada de Alejandro Sabella como técnico no lugar de Sergio Batista e, como consequência, a renovação de parte do time.

Tofoni lembra:

> Em uma tarde de janeiro de 2012, estava em Pinamar. Lembro-me de estar com os pés na areia quando recebi a ligação de Eugenio López, representante de Sabella, a quem eu conhecia

Uma tarde ideal

de algum tempo. Ele queria me dizer que Alejandro não estava satisfeito com aquela partida. Que não era muito conveniente aquele jogo contra um rival de tanta envergadura enquanto o nosso time estava se estruturando. Cortei a ligação. Viajei até Mar Del Plata para falar com Grondona, presidente da AFA. Pressionei: "Desde quando nós não queremos jogar contra o Brasil?". Julio na hora pediu para mandar uma carta de confirmação do amistoso.

Tínhamos acabado de golear o Equador depois de um longo período sem jogar as eliminatórias. Antes havíamos ganhado da Suécia no amistoso em que Messi marcou seu primeiro *hat-trick* com a seleção; faltava chegar ao segundo" — adianta-se Alejandro Sabella, que, ao mesmo tempo, reconhece:

Era um jogo formidável para mim. Estava muito tenso. Nos dias prévios ao jogo, fomos passear com toda a delegação por Nova York, percorremos o Central Park, e eu não aproveitei nada. Sempre tive muito respeito pelo Brasil; podem jogar pior que o rival, pode parecer que não estão inspirados, mas, a qualquer momento, tiram algo da cartola. Tinham um timaço, ainda que fosse um Sub-23 reforçado. Além do jogo e do que poderia ser um resultado ruim, eu estava nervoso porque existiam detalhes do rival que eu não conhecia totalmente. Estava preocupado com o momento em que falaria com os meus jogadores.

Os 84 mil ingressos foram vendidos em apenas dois dias. Parecia impossível distinguir as nacionalidades no meio de tantos espectadores que ocupavam o estádio, pois se sentaram misturados, mas um número estimado pelos organizadores estabeleceu que havia 45 mil estadunidenses; o resto consistia em uma maioria de brasileiros, depois de argentinos e outros latinos.

Pablo Zabaleta faz uma leitura daquele momento:

Leo já era uma referência; ele assumia as responsabilidades. O Brasil não estava com a seleção completa, mesmo assim era forte.

MESSI — O GÊNIO COMPLETO

> Dava para perceber que era um campo de futebol americano, da NFL, com a grama adaptada para essa ocasião.

Mariano Andújar, um dos goleiros argentinos, dimensiona o estádio:

> Aquilo era impressionante, na saída do campo as paredes eram de vidro e tinham comunicação com um bar, do qual as pessoas se cumprimentavam. O problema era o campo, que estava em muito mau estado. Por cima da grama sintética, colocaram painéis de grama natural que faziam com que a bola não quicasse. No dia anterior, fizemos um treino ali e ainda faltava colocar alguns painéis.

Germán Lerche, que, naquele momento, era secretário de seleções na AFA, acrescenta: "O estádio era superior a todos aqueles que tínhamos conhecido. O nível dos vestiários, enormes e próprios do futebol americano, surpreendeu até o próprio Leo". A prévia também teve suas particularidades:

> Como em todos os amistosos da seleção, as pessoas lotaram a porta do hotel para tentar vê-lo. Foi a primeira vez em que o vi se aproximar de uma criança portadora de deficiência que esperava por ele. Depois daquele dia, começou a ser normal em todas as viagens.

Nem todos se lembram de que o Brasil disputou o amistoso com a base do Sub-23 que competiria nos Jogos Olímpicos de Londres; quer dizer, sem Júlio Cesar, Daniel Alves, Kaká e Robinho, estrelas naquele momento da seleção principal. Ainda assim, era uma equipe competitiva que estava se preparando para a única conta pendente, até então, do futebol brasileiro (perdeu aquela final para o México, mas conseguiu saldar a dívida quatro anos depois, no Rio de Janeiro), com jogadores ofensivos que já formavam a base da seleção principal. O experiente técnico Mano Menezes

114 • • • •

colocou em campo Rafael Cabral, Rafael, Bruno Uvini, Juan, Marcelo, Rômulo, Sandro, Oscar, Neymar, Hulk e Leandro Damião. No banco de reservas, estavam, entre outros, David Luiz, Casemiro e Alexandre Pato.

Na Argentina, Sergio Romero já era indiscutível no gol. Os zagueiros foram Ezequiel Garay e Federico Fernández. O meio de campo era montado de acordo com o que prevalecia no momento: um era de contenção, Javier Mascherano, e outro para o passe, Fernando Gago. Pelas pontas, Sabella mudou o perfil dos laterais e dos meio-campistas: Clemente Rodríguez e Ángel Di María, pela direita; Pablo Zabaleta e José Sosa, pela esquerda; não demorou muito tempo em devolvê-los para suas devidas posições. Na linha de frente, começaram jogando Lionel Messi e Gonzalo Higuaín.

Messi começou o jogo e demorou 9 minutos para voltar a tocar a bola. A Argentina tinha dificuldades para ultrapassar o campo rival. E o camisa 10, já em 2012, andou a maior parte do tempo. Procurava seu momento ideal, mas não conseguiu atingir seus objetivos nas primeiras quatro intervenções que teve. Aos 22 minutos, depois de uma cobrança de falta executada por Neymar, Rômulo fez o primeiro gol do Brasil; a comemoração brasileira foi com a música da moda nessa época: uma coreografia similar do tema *Ai se eu te pego*, de Michel Teló, o sexto *single* mais vendido naquele ano de 2012, com mais de 7 milhões de cópias.

Já Marcelo, lateral que tinha ganhado tudo com o Real Madrid, sobrava em seu campo e se divertia no campo adversário. Neymar patinava nas costas do Mascherano; em uma jogada, Garay o desequilibrou justo quando estava para fazer o segundo gol, que, a julgar pelo rendimento da Argentina, poderia ter sido fatal. O time de Sabella não conseguia atacar. Ficava muito espaço nas costas dos centrais Bruno Uvini e Juan, mas nenhum dos lançamentos longos tinha precisão.

Até que, aos 30 minutos, Higuaín encontrou Messi. Aproveitando os espaços dados por Bruno Uvini e Juan, Leo, em sua primeira ação positiva do jogo, empatou com a parte interna da chuteira, junto à trave esquerda. Apenas dois minutos depois, trocou passes com Ángel Di María no círculo central e conseguiu atrair Juan, deixando um corredor aberto que permitiu estar mano a mano com o goleiro para definir no que foi 2x1. Nas câmeras que estavam do lado do campo deu para ver como alguns torcedores ergueram as mãos antes que findassem a jogada; mistura de costumes: a típica pose estadunidense, quando alguém está fazendo a tentativa tripla nos jogos da NBA, por exemplo, com a confiança argentina.

Com duas aparições, Messi virou o jogo. Assim havia sido sua temporada recentemente finalizada, a mais goleadora de sua carreira no Barcelona: 73 comemorações em 60 jogos, um número que ainda hoje estremece.

Todo espetáculo que se preze nos Estados Unidos deve garantir entretenimento. A primeira parte do jogo tinha estado à altura das expectativas. O intervalo era para divertir. Tofoni sabia disso: "Contratamos um grupo de dançarinas de tango que viviam em Manhattan. Os estadunidenses sempre querem *show* e tiveram *show*. E muito. O jogo até parecia um *script*". Faltava uma hora para a conclusão do jogo. Na hora do descanso, a música argentina emocionava na terra de Frank Sinatra.

Não houve nem um minuto dos primeiros 10 do segundo tempo no qual um dos times não chegasse ao gol adversário. A Argentina tinha enormes facilidades: qualquer meia que tentava habilitar um atacante conseguia com total liberdade, e o atacante que esticava a bola ao vazio conseguiria superar seu marcador com extrema facilidade. De todo jeito,

Uma tarde ideal

Messi não tinha participação ativa. Aos 10, Oscar levantou a cabeça perto da grande área, deu um toque para Leandro Damião, e ele simplesmente aguentou a marcação de Garay pelas costas e a devolveu; Oscar, de frente a Romero, voltou a empatar o jogo. O 2x2 levou o curso do jogo a certo marasmo, sem as jogadas espetaculares do Neymar, muito menos do melhor jogador do mundo.

Os 30 graus de temperatura pesavam. O campo do jogo estava seco. A bola parecia murchar cada vez que quicava no chão. Parecia um desses jogos no qual aquela equipe que fizesse o gol levaria o bolão. Aos 26 minutos, Romero demonstrou que, apesar de seu físico avantajado, os cruzamentos muitas vezes lhe custaram: sem mostrar oposição, escapou a bola de um escanteio entre seus braços e Hulk desempatou.

Antes de a bola rolar no meio de campo, entrou Sergio Agüero no lugar de Di María. Em seguida, Federico Fernández subiu e cabeceou uma bola vinda do escanteio, colocando o marcador em 3x3.

> Não sou dos que batem escanteios, naquela época também não. Contudo, tive muita sorte e chutei bem — Lembra Agüero, que a essa altura já era comparsa de Leo. Nos conhecemos no Sub-20. Éramos os novatos. O complexo Ezeiza tinha se tornado a nossa segunda casa, foi um tempo único, irrepetível, como todas as coisas que acabam de começar. Como tínhamos desenvolvido boa camaradagem fora do campo, isso se transferiu para o gramado. Falávamos o mesmo idioma.

Agora sim, com uma redução de marcha nos dois times, o jogo não poderia se converter em outra coisa além de "quem fizer ganha". Cada equipe tinha sua estrela para tentar a vitória. O primeiro que quase conseguiu fazer diferença foi o Brasil. Aos 34, Fernández tirou de Neymar o gol perto da linha:

> Estava a mais de um metro por trás da defesa, mas foi validado pois quem a tinha tocado era um dos nossos. Girei e vi que "Chiquito" Romero estava saindo, tinha que cobrir o gol, atirei-me no chão um segundo antes que Neymar chutasse; minha sorte é que foi rente ao chão e consegui chegar.

Fernández não só impediu o empate rápido, como também evitou que aquele Argentina x Brasil fosse o clássico de Neymar e não o do Messi.

Aos 36 minutos, Leo deu uma arrancada quase inédita no segundo tempo, com um drible de cintura superou a Bruno Uvini e, quando estava deixando Danilo para trás, este cometeu falta nele perto da meia lua da grande área. O goleiro Rafael Cabral conseguiu desviar a cobrança de falta. Era uma matéria na qual Leo continuava a progredir.

> Aos 38, Casemiro escorregou quando tinha que definir um contra-ataque de cinco brasileiros contra três da Argentina. Na réplica, Messi fez um plágio de si mesmo; se uns minutos antes tinha atacado da direita para o meio, passando com toda velocidade pelos rivais que vinham marcá-lo, desta vez fez um caminho mais longo, sua obra-prima.

Recebeu de Gago logo depois de passar a metade do campo, quase em cima da linha lateral. Marcelo acreditou que o encararia, indo para sua perna mais cômoda, a canhota, mas ele saiu para o outro lado. Não era o primeiro capítulo entre eles. Nem a primeira vez que o brasileiro passava por isso.

No ano anterior, em uma Supercopa entre Barcelona e o Real Madrid que foi definida por Messi, Marcelo tinha dado uma entrada por trás no jogo de ida e o tinha parado com uma pancada na altura da virilha no jogo de volta, o suficiente para se encontrarem cara a cara bem perto de

Uma tarde ideal

José Mourinho (o dia em que o técnico português fez o gesto de mau cheiro em referência ao argentino).

Antes dessa partida entre Argentina x Brasil, Marcelo tinha falado que Messi era, sem sombra de dúvidas, o melhor futebolista do mundo. A imprensa de Madrid publicou que essa declaração gerou um distanciamento por alguns meses na relação que tinha com Cristiano Ronaldo.

Enganando Marcelo e avançando em um vertiginoso ritmo, Messi girou a cabeça para trás para saber se alguém o estava seguindo e foi para cima dos defensores do meio de campo. A diagonal de Higuaín carregou com ele Bruno Uvini; Juan, porém, o enfrentou, mas nem chegou a incomodá-lo. A grande velocidade, nada poderia interromper o Leo.

A imparável arrancada de Messi no MetLife de Nova Jersey teve seu final com um potente chute de canhota com efeito, que foi parar na gaveta. O goleiro Rafael Santos quase nem se mexeu: percebeu na hora que não alcançaria aquela bola. Ele já tinha passado por isso anteriormente: era o goleiro do Santos, aquele que o Barcelona tinha goleado por 4x0 no ano anterior na final do Mundial de Clubes, em uma goleada histórica e com dois gols de Leo.

Alguns meses antes, o escritor Pedro Mairal tinha prestado atenção na reação dos goleiros depois daquela típica jogada de Leo, aquela que o leva a atravessar o campo da direita para o meio e terminar invariavelmente do mesmo jeito. Aquela sequência que também pode ser usada na literatura:

> Os goleiros são atingidos por um raio paralisante de qualidade. É possível vê-los nervosos quando Messi vem da direita e começa a atravessar para a esquerda, deixando jogadores neutralizados pelo

> caminho, e prestes a chutar usando essa tangente que encontra uma pequena fenda por entre cinco pernas defensoras, como um túnel que somente ele consegue enxergar, e sai o gol. Quando se aproxima, os goleiros ficam fazendo uma pose esquisita se agachando, juntando um pouco os joelhos, com os braços abertos, fazendo a pose como se fosse uma galinha brava, como um paralítico em pleno milagre de voltar a andar; veem-se superados perante o cataclismo que está chegando, dão pulinhos rápidos em um incipiente passo de *malambo*, de um lado para o outro, indo e voltando por ali e por aqui, ainda assim é gol.

A relação velocidade-passos andados, de que fez menção Fernando Signorini, encontrava um claro exemplo: naquela vez, Messi deu 25 passos em uma condução de menos de 6 segundos e, como sempre, o notável foi sua resolução a tal ritmo.

"Vê-lo de trás foi espetacular. Quando passou por Marcelo e arrancou na diagonal foi como um raio. Fora isso, definiu feito uma bomba. A primeira coisa que eu disse foi que ele era louco", relembra Federico Fernández. "Ainda tenho a sensação de querer que a bola entre à medida que corria. Não somente entrou, como também a acertou no ângulo. Incrível", acrescenta Gago.

A verdade é objetiva e subjetiva ao mesmo tempo. Cada um vê aquilo que quer ver em uma mesma imagem. Em um grande gol, que serviu para que a Argentina revertesse o jogo daquele clássico, com certeza mais de uma pessoa terá visto uma obra de arte; outro, a possibilidade de negociar. Guillermo Tofoni conta:

> Sempre ficava para nós uma margem para inserir dois ou três anúncios de publicidade ao redor do campo. Como sou amigo do Roberto Sterman, dono da marca de roupa Kevingston, e ele vinha para assistir ao jogo, o surpreendi com a marca dele na publicidade

> rotativa sem dinheiro em troca. No momento do quarto gol, pode se ver a marca Kevingston por trás do gol para o mundo todo, e para toda a história.

É verdade, a publicidade da Kevingston apareceu justo na hora em que Messi começou a jogada e ficou lá até fazer o gol.

Na promoção do jogo, a organização tinha dado ênfase especial às reações dos torcedores: estava totalmente proibido qualquer tipo de agressão nas arquibancadas. Conhecedores da peculiaridade de uns e de outros, buscaram eliminar assim as possíveis provocações dos brasileiros e as reações dos argentinos.

Diego di Lena tinha chegado aos Estados Unidos, assim como milhares de compatriotas no começo do século. Daquela época até hoje em Nova Jersey, foi um dos que nunca se esquecerão daquela tarde:

> Os estadunidenses têm o costume de montar, antes dos jogos, o que eles denominam de *Tailgate*, o momento no qual os torcedores se juntam no estacionamento do estádio para beber, fazer um churrasco e escutar música. É desse jeito que as pessoas entram no estádio com bastante álcool ingerido e dinheiro para continuar comprando. O interessante desse jogo é que argentinos e brasileiros estávamos misturados. Ao primeiro gol, eles gritaram na nossa nuca; o 2x1 nós festejamos na cara de alguns deles e, quando o Brasil fez 3x2, começaram os empurrões em diferentes setores. Até que o camisa 10 se iluminou e deu-nos de presente aquele momento único. Embora tivesse algumas grosserias, a tirada de sarro foi na esportiva, como corresponde. Fora isso, a segurança particular expulsa quem brigue dentro de quaisquer estádios nos Estados Unidos.

Em sua comemoração, Messi saiu correndo na direção do banco de reservas. Deu a sensação de que ia em direção a Alejandro Sabella, mas, ao chegar, passou do lado dele para abraçar os outros jogadores que tinham se levantado do banco.

> Alejandro ficou no vácuo, coitado. Na realidade, Leo foi atrás de todos nós. Foi uma explosão; percebemos que em um *derby* dessa dimensão não existe lugar para amistosos... Além disso, o único técnico que Leo cumprimentou em uma comemoração foi o Guardiola — e somente uma vez — acredita Andújar.

Casualmente, essa comemoração aconteceu no mês anterior, quando, depois de converter seu quarto gol na partida de 4x0 do Barcelona em cima do Espanyol, atravessou o campo para demonstrar sua gratidão ao treinador que mudou seu lugar em campo e o projetou como ninguém.

Depois do quarto gol da Argentina no Brasil, seu *hat-trick* naquela partida, o elenco inteiro e a maior parte da equipe técnica partiram para cima de Messi, na hora em que ele chegou para festejar. Ficaram separados pelos painéis publicitários. Foi assim que um dos painéis se rompeu. "Enlouquecemos com esse gol. Tanto que quase o lesionamos", diz Federico Fernández.

> Toto Salvio se jogou por cima de todos e aí foi que o cartaz desabou. Orion e eu ficamos com as mãos cortadas tentando segurar, enquanto o Chavo Desábato puxava Leo e Kun, antes de que o cartaz caísse em cima deles. Estivemos a ponto de fazer um papelão. Ou de fazer uma desgraça como tinha acontecido com Martín Palermo — compara Andújar com aquilo que tinha sucedido em novembro de 2001: a queda de um dos painéis de publicidade tinha produzido uma fratura na tíbia e na fíbula do atacante que, então, era do Villareal, da Espanha.

Uma tarde ideal

"Gordo, ajuda a gente", gritou Andújar. "Se não o segurássemos, aquele painel poderia quebrar o tornozelo dele", relembra o massagista Marcelo D'Andrea.

No caso do Messi no estádio MetLife, a alegria daquela hora o fez esquecer a dor. Foi suficiente que o médico Daniel Martínez jogasse água na região, que rapidamente havia ficado roxa. "Nem me toquei do que tinha acontecido. Eu o vi mancando depois do jogo e lhe perguntei. 'Você não viu que caiu aquele cartaz em cima de mim?', lançou Gago."

Depois do 4x3, Agüero teve uma chance idêntica: entrou na área depois de deixar pelo caminho alguns zagueiros brasileiros. Mas demorou para arrematar, pois é canhoto. O jogo já não permitiria nenhuma alteração. O capítulo fechava de forma ideal.

Nascia também uma relação que nunca foi rivalidade, mas amizade. Meses antes, Neymar tinha sido rival de Messi nada menos que naquele Barcelona x Santos. Nesse dia, porém, Neymar pediu a camisa dele e, depois do jogo, disse: "Somente posso parabenizá-lo". Com o tempo, compartilhariam o mesmo time, estariam no Barcelona e até montariam um grupo no WhatsApp, também com Luis Suárez, denominado "*Sudacas*".

Sabella diria na conferência: "A Real Academia Espanhola deveria achar uma palavra que possa definir o Messi". Depois teve um breve encontro com o técnico brasileiro, Mano Menezes. Hoje relembra o argentino: "A gente se conhecia. 'Que jogo ganhamos', eu disse a ele. 'Claro, você tem o Messi...', respondeu".

Sabella, que não queria jogar essa partida, hoje reconhece:

> O 4x3 no Brasil impulsionou o grupo de forma exponencial. A primeira pessoa que escutei dizer que o futebol é um estado de espírito foi José Ramos Delgado. E logo depois Coco Basile, que disse que tudo depende do jeito como os jogadores se levantam. Sempre considerei que estava louco: se tudo depende de como eles estão, então de que serve o nosso trabalho? E a tática? E a bola parada? Não serve de nada isso? Mas Basile tem razão. Todos somos seres humanos que temos diferentes estados de espírito.

A vitória mudou o histórico a favor da Argentina, que passou a ter 95 vitórias contra 94 do Brasil, cuja imprensa se rendeu. Luiz Ceará escreveu: "Um golaço para mostrar ao mundo que quem tem Messi sempre será favorito". Roberto Avallone escreveu: "É um gênio diferente, silencioso, que não faz ostentação; o rosto sempre sério, a bola colada no pé esquerdo. Parece um robô programado para jogar futebol". Segundo o site UOL, a partida teria sido útil ao Messi para reforçar sua fama de carrasco da seleção brasileira. Uma fama que, no entanto, custaria ser mantida.

O encontro encerrou perfeitamente. Guillermo Tofoni compara:

> O produtor de amistosos ganha dinheiro se o público superar os 40 mil espectadores. Tem jogos que ainda, apesar dos nomes, não geram lucro comercial. Fizemos Argentina x Portugal em Old Trafford e perdemos 1 milhão de dólares. Em Nova Jersey, deu tudo certo. As pessoas queriam ver Argentina x Brasil e, no final, viram Messi em seu esplendor. A partir dali, a pergunta que sempre se fez ao organizar um jogo era se ele jogaria. Nós não poderíamos dar essa certeza: tínhamos comprado um contrato assinado em 2006, quando Messi ainda não era o que acabou sendo. O que aconteceu foi que sempre tinha três ou quatro possibilidades para cada data de amistosos da Argentina, e nós assinávamos com aqueles que estavam dispostos, ainda que a presença do camisa 10 não estivesse totalmente confirmada. Em todo caso, Messi sempre esteve presente e jogou.

Uma tarde ideal

Fernando Gago revela uma das últimas lembranças: "Tiramos uma foto juntos e ele estava com a bola que levou por ter feito os três gols. O meu filho a roubou de mim e a tem pendurada em seu quarto". "Foi um jogão. Era o Brasil: não há amistosos", sorri Agüero. Germán Lerche tem bem presente o vestiário depois da partida:

> Se aproximaram de mim dois gigantes que queriam cumprimentar o Messi. Eram jogadores de futebol americano, que foram embora muito felizes pelas fotos e o cumprimento de Leo. Depois soubemos que aqueles dois moços eram duas grandes estrelas do esporte que mais movimenta o público nos Estados Unidos.

No estádio já não ficam marcas daquele jogo. As fotos nos corredores interiores somente representam antigas batalhas do futebol americano. Para o público que esteve presente, porém, é um registro inesquecível. Messi voltaria a jogar no MetLife Stadium no jogo decisivo da Copa América de 2016, embora com um resultado diferente: foi uma das finais em que perderam por pênaltis contra o Chile. Era como se sua vida com a camisa da seleção argentina demorasse a permitir-lhe ter uma lembrança imaculada. Como se o *script* fosse teimoso. Como se nenhum cenário pudesse se referir pura e exclusivamente a um sorriso.

Já haveria tempo para outras decepções. Diego di Lena, uma das testemunhas argentinas presentes naquele amistoso, que não deixa de ser histórico, fecha a narrativa com contexto e emoção:

> Existe bastante gente que mora nos Estados Unidos de maneira ilegal, o que quer dizer que não podem sair do país com medo de não poder entrar novamente. Muitos deles sabiam que possivelmente não voltariam a ver o Messi em um estádio usando a camisa com as cores da seleção argentina. Para eles essa vitória representou tudo.

Entre tantas coisas, o 4x3 da Argentina perante o Brasil, em uma tarde de junho de 2012 em Nova Jersey, foi em um dia no qual um imigrante fez a felicidade de centenas de imigrantes. Uns e outros haviam deixado sua terra natal na mesma época. Um deles esperava a possibilidade de fazer o que sonhava; no entanto, outros tantos não sabiam o que depaririam no futuro. O futebol (e seus gênios) une o que a vida separa.

Capítulo 7

MEMÓRIAS DE UM TROFÉU

7

NO INSTANTE EM QUE ficou sabendo da morte de Julio Grondona, Lionel Messi viajou de Barcelona até Buenos Aires. "Chorou por ele diante do caixão", lembra Humberto, filho do presidente da AFA, que faleceu no dia 30 de julho de 2014, somente a dezessete dias da final da Copa do Mundo no Brasil.

Juan Carlos Crespi, um dos dirigentes mais próximos de Grondona e da seleção argentina, conta que "Leo apareceu de surpresa no velório que estava sendo realizado no complexo desportivo Ezeiza da seleção argentina. Messi gostava muito dele. É que Julio solucionava todos os seus problemas". Héctor Domínguez, tesoureiro da AFA durante a gestão de Grondona, não duvida: "Messi gostava muito dele, como se fosse um tio ou avô. E isso acontecia porque Julio se dava por completo à seleção". Continua Humberto:

> Fiquei comovido naquele momento e me comovo até hoje ao lembrar. Assim que ele soube do que tinha acontecido, pegou um avião e veio para se despedir. Participou da missa, dormiu no complexo desportivo e acordou às 6 horas da manhã para voltar rumo a Barcelona.

A tensão sofrida durante a Copa do Mundo, sobre a qual cartolas argentinos foram acusados de revender os ingressos, tinha debilitado Grondona. A informação dessas suspeitas veio a público e tudo isso afetou os jogadores gerando mal-estar entre eles, já que não dispunham de ingressos suficientes para seus amigos e pessoas mais chegadas;

consequentemente, estavam se queixando, pois, se para eles faltavam ingressos, acreditavam que era porque outros tinham se apropriado do que não lhes pertencia.

Luis Segura, que se tornaria presidente da AFA, dá a seguinte versão: "Os jogadores pediram para a final uma quantidade de ingressos muito superior à dos jogos anteriores. E nós não tínhamos". Crespi desmente a briga entre Messi e Grandona, uma versão absolutamente instalada, na noite anterior à partida decisiva: "Era impossível que Julio Grondona tivesse falhado com ele. O problema foi que a FIFA demorou em repassar os ingressos". O filho de Grondona continua:

> O problema foi que a Alemanha recebeu mais ingressos. E somente na última hora a FIFA enviou mais 2 mil. Também aconteceu que inicialmente os jogadores precisavam de 500 ingressos e, para a final, já tinham uma lista de 1.300 familiares ou amigos que queriam ir.

Em todo caso, Javier Mascherano confirma:

> A noite anterior foi uma loucura. Os nossos familiares estavam chegando, mas não tínhamos os ingressos, que só recebemos em mãos à meia-noite. Ninguém ganha ou perde um jogo por esse motivo. Mas foi um detalhe que poderia ter sido evitado, porque nós, argentinos, levamos para o campo toda a nossa carga emocional.

Entre 2005 e 2019, Messi celebrou 10 de 15 aniversários dentro de uma concentração da seleção. Em 2014, foi assim que ele comemorou seus 27 anos em plena Copa do Mundo. Naquela noite, depois do jantar e diante de toda a equipe, Julio Grondona ficou de pé para cumprimentá-lo e falar sobre ele. "Fiz sinal para que terminasse, porque já tinha se estendido. É que o amava muito. Na realidade, ambos se amavam", afirma Humberto,

Memórias de um troféu

que, naquele momento, era o técnico da equipe Sub-20 e encarregado das equipes juvenis que tinham viajado como parceiros de treino:

> Nessa Copa do Mundo construímos um bom relacionamento. Tenho duas histórias para contar deste mês inesquecível. Uma nasceu antes da estreia contra a Bósnia. Não sou de pedir fotos, mas dessa vez pedi para tirarmos um, algo que acabou se tornando costume no início de cada jogo. Ele mesmo me procurou antes da semifinal contra a Holanda e me disse algo que me surpreendeu por vir dele: "Nunca devemos improvisar". Não sei o que aconteceu, mas, por incrível que pareça, não conseguimos tirar nenhuma foto antes da final. A outra história aconteceu na concentração. Não tínhamos o costume de falar de futebol, mas de temas da vida em geral. Certo dia, enquanto eu descansava na sauna, ele entrou. Fazia já um tempo que eu estava suando, mas a conversa acabou indo para o futebol e ficou interessante. Ele não queria parar de jeito nenhum, a tal ponto que quase fiquei desidratado.

Ao longo de sua trajetória na seleção, Messi se interessava cada vez mais em falar de futebol na intimidade. Não somente porque tinha incorporado os conceitos de jogo que aprendeu na Espanha, mas também porque já estava assumindo a grande responsabilidade de ser um dos líderes que levaria a equipe a um êxito importante. O sonho de vestir a camisa se transformou primeiro em responsabilidade e depois em pressão.

Foi assim que Sergio Batista, ao ocupar o lugar de Diego Maradona, quis seduzi-lo com a ideia de copiar o estilo do Barcelona. Era o caminho mais rápido para envolver o melhor futebolista do mundo, que até então somente tinha jogado desse jeito em sua equipe (já haveria tempo para perceber que um Barça mais pragmático o fizesse entender que com companheiros diferentes é muito difícil tentar manter o mesmo estilo

131

de jogo). Mas os *covers* nunca soam idênticos. Além disso, o único jogo com estilo tiki-taka permanente do qual se lembra com Batista no comando foi um amistoso de 1x1 contra os Estados Unidos, em março de 2011.

Alejandro Sabella apelou mais para a formação do grupo do que para a construção de um estilo de jogo em sua apresentação. Manifestou mais sua sensibilidade social do que seu gosto futebolístico. Era muito bom ouvi-lo. Assim foi aquela vez e ao longo de seus três anos à frente da seleção. Assim foi também depois, com a clareza que só a distância proporciona, aproveitando o tempo antes de cada intervenção. Sentimos muita falta disso.

Alejandro abre o diálogo:

> Sim, falei de Belgrano e da bandeira argentina no dia em que assumi. Quis englobar os jogadores, os gestores e o público. O treinador representa o mundo que o rodeia. Fora disso, os jogadores deviam saber da nossa organização e nós deveríamos ouvi-los. A concentração, por exemplo, mudou: na Europa quase não o fazem, tínhamos que nos adaptar. Deviam ter certa liberdade para atuar, mas primeiro deviam partir de uma série de valores.

Um diálogo que demorou em aceitar: parecia meditar em cada contato midiático. Até que ele mesmo fez a proposta de compartilhar um almoço para falar de Messi. Pessoalmente, lógico: o telefone pode ser útil para a apresentação, mas as conversas fluem melhor cara a cara. Sabella pensava, reconhecia e respondia.

— Além daquela final do Mundial de Clubes entre o Barcelona e o seu Estudiantes de La Plata, o padrão que tinha o futebol argentino era suficiente para enfrentar o Messi e os outros jogadores da Europa?

Memórias de um troféu

— Essa questão sempre me preocupou. Sempre temos que nos colocar no lugar do outro. O aluno também põe o professor à prova. Tinha que ser aprovado com eles. Ao longo do tempo, foram aprovados com mais naturalidade. Mas nunca deixei de me obcecar em ter a informação da qual os jogadores precisavam. Ainda hoje penso no que se pode oferecer aos rapazes que jogam nos melhores times do mundo e ao mesmo exigir que sejam campeões. Guardiola disse que, para motivar os jogadores temos que lhes ensinar coisas novas. Sim, foi Guardiola que disse isso! Dele para baixo, todos devemos perseguir esse objetivo. Grande parte do nosso trabalho era fazer que nossos jogadores se sentissem bem, ainda mais Messi. Para mim foi um presente dirigi-lo. Levou tempo. Não me refiro à liderança, mas à orientação, para a qual não deve haver apenas palavras, mas também fatos. Até que você não o tenha aí do seu lado, não terá a dimensão do que é. Já no primeiro treino me impactou. O primeiro que vejo em um jogador, mesmo sem conhecê-lo, é algum gesto técnico ou alguma arrancada explosiva. No caso dele, vi as duas coisas juntas. É como o autorama, que do nada dá uma arrancada a 100 quilômetros por hora. Ainda mais com sua técnica. Não somente fazia diferença quando corria para a frente, mas também girava e brecava: um pião, uma ventoinha. Não dá pistas ao rival; quando o rival vai para o lugar, a bola já não está mais lá. E assim de forma contínua.

— *Por que deram a função de capitão para ele?*

— E por que não? Ainda hoje tenho a mesma resposta. O capitão é um líder. E o líder pode ocupar essa posição por personalidade, por ser uma autoridade ou por ambas as coisas. A pergunta de um jornalista me fez pensar sobre o que é ser capitão. Costumo aprender com as ideias dos outros. Existe um jeito de submeter à prova invertendo-se os papéis: o professor permite que o aluno lhe faça as perguntas, dessa maneira pode saber o grau de conhecimento que o aluno tem a respeito do tema. Pessoalmente aquela pergunta me fez pensar. Estando em Barcelona, em uma viagem inicial a Europa para me reunir com vários jogadores, falei com Mascherano, e ele achou que era uma boa ideia. Apresentei o mesmo a Leo e pedi que os dois conversassem sobre o assunto. Foi a primeira vez que estive com eles.

Javier Mascherano tem a mesma lembrança: "Alejandro primeiro conversou com a gente separadamente. Eu disse que a ideia era perfeita e que eu mesmo tinha decidido deixar de ser capitão. Depois nos reuniu. Pablo Blanco, o preparador físico, também estava". A questão havia sido uma parte daquele diálogo entre os protagonistas antes da posse do novo técnico. Mascherano acrescenta:

> Eu vinha falando sobre isso com Leo desde a Copa América. "Para mim o capitão tem que ser você. Você é a bandeira, o mais representativo", eu disse para ele. "Mas já faz muito tempo que você é o capitão", respondeu. "E daí? Não tem como não ser você", finalizou.

Já na estreia de Sabella como técnico da seleção, em um amistoso de 1x0 com a Venezuela em Calcutá, em setembro de 2011, Mascherano passaria a braçadeira de capitão para Messi.

Aos protagonistas não faltam referências a respeito daquela época. A Copa do Mundo de 2014 passeará de boca em boca. Lucas Biglia, que tinha sido parte daquele grande Sub-20 de Messi em 2005 e que começaria a ser um dos preferidos na seleção principal, começa a se lembrar: "Com Sabella de técnico, melhoramos no coletivo. Provavelmente com ele tenhamos visto o melhor de Leo na seleção".

Memórias de um troféu

Nicolás Burdisso, titular até que rompeu os ligamentos do joelho em um dos jogos das eliminatórias, não tem dúvida:

> O ciclo Sabella transmitiu seriedade e tranquilidade à seleção. Messi precisava de um processo assim. Na realidade, todos precisavam. Os jogadores que, em geral, eram convocados nesse momento jogavam no futebol europeu; estávamos acostumados a ter um estilo e uma organização.

Pablo Zabaleta, um dos que nunca faltavam, acrescenta:

> Tenho certeza de que todos aqueles que passamos pela seleção concordamos que o momento auge do qual pudemos participar foi naquela época. E Alejandro foi quem o promoveu. Alguns já nos conhecíamos de quando fazíamos parte dos juvenis. O grupo tem total importância em um time. Jamais alguém impôs um nome ao técnico. Aquilo do "clube dos amigos" fica para o jornalismo. Ainda sabendo que era mentira, foi transmitida essa informação. Mas não podemos estar em confrontação o tempo todo.

Mariano Andújar, geralmente convocado ainda que à sombra da longa permanência de Sergio Romero no gol, afirma:

> Alejandro transmitiu pautas de convivência e formas de treinamento que tinham se perdido na seleção. Além disso, montou um grupo de 30, 32 jogadores fixos. Já não tínhamos que nos conhecer em cada convocatória. E mais, quando voltávamos a nos encontrar, perguntávamos pelos nossos filhos. Tínhamos vontade de nos encontrar. Falava-se de um tal "clube de amigos", a respeito do qual se dizia que Leo decidia quem devia ir, mas não prestavam atenção em que os "amigos "eram vencedores lá fora. Biglia foi capitão durante anos na Itália. Por acaso, isso se devia ao fato de Messi ter pedido a Lotito, o dono da Lazio?

Na entrevista já citada que deu Alfio Basile aos autores do livro *Generación Lio*, ele descartou aquilo que fez parte da imaginação popular durante muito tempo, partindo de algum comentário fora de contexto que fez o preparador físico de sua seleção, Carlos Dibos:

> Não passam de mentiras tudo o que disseram a respeito de Messi e Mascherano terem feito trapaça comigo. Não sei por que Dibos disse isso, faz tempo que não me dou bem com ele e não me importa o que ele diz. Ainda que, com certeza, foi porque havia brigado com vários jogadores e procurou revanche.

Basile sempre deu a entender que guardaria para ele o verdadeiro motivo de sua renúncia. As versões espalhadas pela mídia deixaram a dúvida, e a imaginação popular o tornou um decreto: o técnico supostamente tinha saído porque vários jogadores puxaram seu tapete. Tempos depois, Basile reconheceria que sua desconfiança havia tido como fundamento a atitude dos dirigentes, especialmente de Julio Grondona.

A versão da intromissão de Messi e companhia nas ideias dos técnicos foi sustentada durante o ciclo de Sabella, ainda que este não abrisse o jogo em suas decisões das convocatórias. Nem era preciso: ele pensava que o êxito do time chegaria como consequência do grupo que almejava montar e da comodidade dos jogadores. Sabia entender também alguns sinais e viu alguns deles depois do 2x1 na Colômbia, em Barranquilla, pelas eliminatórias. "Foi um jogo que marcou o início de um novo ciclo", reconheceu.

Naquele dia, a entrada de Agüero foi fundamental para virar o resultado daquele encontro que afastaria as dúvidas iniciais da temporada. Ainda que Ángel Di María não tivesse jogado, desde aí começaram a casar os dois com Messi e Gonzalo Higuaín. Cada vez que Sabella fazia entrar em campo os quatro desde

Memórias de um troféu

o início da partida, a seleção não perdeu (no total, ganhou 7 de 9 jogos).

— *Foi Messi, em especial, ou os jogadores que pediram para jogar com esse quarteto no ataque?*

— Não necessariamente, a equipe decidiu desse jeito. O técnico deve ver as necessidades coletivas, as sensações dos jogadores e as caraterísticas do rival e equilibrar todas essas variáveis. Às vezes, podemos escolher por aquilo que está mais relacionado com o desejo dos jogadores. Se o futebolista não está convencido, não é preciso que diga nada, porque nós o percebemos com um gesto. Nesse momento, fui sentindo o que queriam. No entanto, eu tinha muito claro algo que não sei se já declarei publicamente: na Copa do Mundo quando chegaram os jogos de eliminação direta, ia jogar em um 4-4-2. Antes disso, poderia me adaptar. Considero-me pragmático. Em todo caso, o importante não é o esquema. O essencial é a ideia de jogo, e muito mais quando é associado a tantas outras variáveis. Nós, técnicos, temos que analisar de que forma potencializamos o time. Pode acontecer de, em alguma ocasião, ser necessário subtrair algo do qual uma pessoa goste em favor do coletivo. O objetivo é o time. E, na seleção, em certo momento considerei que o melhor era o que favorecia o futebol do Messi. Logo depois, poderia fazer uma ligeira modificação. Evidentemente, é conveniente que Messi se movimente com outros atacantes que saibam passar a bola para ele; para que isso aconteça, primeiro eles têm que saber tirar a bola de alguém. O equilíbrio é criticado, mas significa o essencial no futebol: o equilíbrio entre o defensivo e o ofensivo, que o 9 possa fazer gol e que os meias saibam sair jogando. O futebol global é isso, a perfeição.

A estreia na Copa do Mundo fez ressurgir o tema. Sabella não somente tinha escolhido Maximiliano Rodríguez no lugar de Higuaín, mas também tinha feito entrar cinco zagueiros em detrimento de Fernando Gago. Para o segundo tempo, a formação voltou a seu curso natural. Além do resultado parcial de 2x1 contra a Bósnia-Herzegovina, que parecia suficiente para não gerar polêmicas, Messi expressou o que sentia na coletiva de imprensa do dia seguinte: "Somos a Argentina, não temos que pensar tanto em quem está na frente. Podemos mudar o esquema, mas devemos ser protagonistas. Quando entrou Gago, fomos melhor". Sabella teve contato com a imprensa somente no dia anterior à partida contra o Irã, que era o segundo jogo. Teve que enfrentar as perguntas que já sabia que viriam: "Não fiquei nem um pouco incomodado com o que disse Leo. Ele falou com respeito. O clima é de cordialidade. E já sabíamos o que ele disse". Isso antecipou o que hoje mostra o que ele pensava havia tempo: "O sistema original deste time é 4-3-3. Depois vemos se mudamos".

E assim foi. O sistema que misturava quatro jogadores de ataque primeiro se desfez por lesões e depois por convicção do técnico. Agüero se lesionou contra a Nigéria, no terceiro encontro, e Di María contra a Bélgica, nas quartas de final; seus substitutos foram Ezequiel Lavezzi, originalmente atacante, mas que foi posicionado para jogar pela lateral, e Enzo Pérez, respectivamente. As circunstâncias tinham ajudado Sabella a rearmar o sistema tático de acordo com sua preferência.

Continuava sendo uma equipe compacta, mas com as linhas mais recuadas. Messi, porém, ficava longe do gol do time adversário, ainda que a seus companheiros não desagradasse a mudança de planos. Zabaleta o via do fundo:

> Tivemos dúvidas no início da Copa do Mundo, e a mudança do sistema nos fortaleceu. Entendíamos que, se mantivéssemos a maneira de jogar da fase de grupos, isso nos complicaria contra rivais mais fortes. Nas eliminatórias bastava manter a nossa pegada. Vivíamos dos gols dos nossos atacantes. Mas em uma Copa do Mundo precisávamos cobrir toda a largura do campo e ter maior resistência. Não nos censuramos por nada, nem mesmo pela final. Muitos acreditavam que a Alemanha nos faria 7 gols como fez no Brasil, mas nós resistimos bem.

De um time que se agrupava em torno de Messi, a seleção passou a ser um conjunto que se organizava desde Mascherano. O próprio Masche afirma:

> Era muito claro para nós o que aconteceria. Tínhamos feito boas eliminatórias, jogando mano a mano. Até mesmo tivemos jogos, contra o Chile e o Equador, nos quais fomos dominados, mas definimos de todo jeito, com as feras que tínhamos no ataque. Contudo, alguns rivais na Copa do Mundo não nos dariam essas possibilidades. Fora isso, jogávamos com três jogadores, acostumados a se mexer pelo meio de campo: Leo, o Kun e Gonzalo (Higuaín). Naquele momento, teríamos que cobrir melhor os espaços, algo que era chave no discurso de Alejandro. Além disso, relembro que antes do jogo final contra a Alemanha, reconhecíamos que eles teriam a posse de bola e que não conseguiríamos roubá-la deles. Mas sabíamos também que não nos fariam dano facilmente.

A ideia de um time que teria problemas para ter a posse de bola, sem sombra de dúvidas, complicaria para Messi.

Sabella acrescentou ao seu relato:

> Na Copa do Mundo tivemos três prorrogações contra equipes europeias, que, somadas, dão um jogo inteiro a mais. Nesses cinco

jogos sofremos apenas um gol, aquele de Götze, que acabou com o sonho.

— *O que lembra de Messi na final?*

— Não podemos imaginar o que é ser Messi. Somente o julgamos com o padrão de que tem que ser Messi e de que tem que ser campeão. Teve 70 minutos muito bons, com duas jogadas notáveis no primeiro tempo. Depois possivelmente tenha se cansado ou desgastado. E estávamos jogando contra a Alemanha. Quando fiz a inclusão de Agüero, voltamos a ter um atacante a mais, mas tínhamos menos posse de bola, porque desarmávamos menos. A verdade é que a mudança de sistema prejudicou Messi um pouco. Mas eu acreditava que era o que beneficiava todo o time contra esse tipo de rivais. Eu sabia que estava tirando ferramentas de Leo. Hoje tenho que dizer que ele teve a grandeza de aceitá-lo.

Continua Mascherano: "Com o decorrer da Copa, passamos a jogar 20 metros mais atrás. Montou-se um time mais para defender e contra-atacar. É verdade que Leo ficou um pouco mais isolado".

A final mostrou um Messi coadjuvante. Decidido no primeiro tempo, discreto no segundo, apagado no começo da prorrogação. Ele se abstraiu. Não seria nem a primeira nem a última vez. Nessas horas a ansiedade toma conta de todos. Vendo de fora, pode surpreender não apenas o fato de ele estar estagnado, mas também de nenhum companheiro o ter ativado. Parecia um mistério sem solução.

Gago concorda:

Memórias de um troféu

> É verdade que rende mais quando o time tem uma estrutura e ideias claras. E com Alejandro nós as tínhamos. Além disso, é do tipo de jogador que fica irritado quando não consegue dar ao time mais do que está oferecendo. Não por seu rendimento individual, mas por como esse rendimento repercute no time. Nesses momentos não há nada que possamos dizer a ele. Se você disser: "Vamos que está tudo bem, Leo", ele sabe que não está tudo bem.

Andújar concorda: "Ninguém consegue resultados somente com palavras. Porque está envolvido com o jogo. Não é que ficasse olhando para o chão pensando no que faria à noite".

Biglia o conhece faz mais de uma década e meia:

> Um jogador como ele tem que estar continuamente em contato com a bola. O companheiro o acaba procurando por tentação. E isso faz que seja marcado e tenha maior desgaste. Para ele não importa. O ideal é achá-lo por trás dos meio-campistas rivais. Mas, se não der para fazer isso, também temos que ir até ele. Em um dos primeiros jogos do ciclo Sabella, eu o procurei e, como estava marcado, joguei para o outro lado. Masche me falou para passar para ele e respondi que estava com um rival em cima. "Passa para ele do mesmo jeito", respondeu. Leo dá a mesma opinião: "Me procura, o máximo que pode acontecer é que eu a devolva para você".

Gabriel Milito também pode falar de sua época inicial no futebol profissional:

> Daqueles anos como companheiros no Barcelona tenho a lembrança de que também ficava quieto. Fora isso, com o decorrer de sua carreira, passou a andar no campo enquanto observa o que acontece. Há dezenas de jogadas do Barça nas quais ele se ativa de repente. O que acontece é que no seu time sempre teve um modelo de jogo no qual o que se movimenta é a bola. Ele se acostumou a encontrar espaços caminhando.

Fabián Soldini, que via a diferença sideral que existia entre ele e seus colegas no infantil de Newell's, vai além: "De criança era igual. Parecia que se abstraia. O pai às vezes dava uns gritos para que ele se mexesse, para que corresse. De repente, passavam a bola para ele, driblava os que apareciam e tirava os rivais da frente".

A última imagem foi uma cobrança de falta de tiro livre que chutou longe do gol. Muitos guardam outra imagem daquela final, a da intimidade. Conta Omar Souto, antigo empregado da AFA, que, dez anos antes, o tinha contatado para jogar pela primeira vez em uma seleção argentina:

> Quando Leo perde, quer morrer. Chora, não fala, se fecha. A pior derrota de todas foi a final no Brasil. Estava arrasado. O troféu de melhor jogador da Copa do Mundo ele entregou para Alberto Pernas, o oficial administrativo da AFA. Está ao lado de muitos outros troféus em uma vitrine.

Existem tantas reconstruções dos fatos como memórias que tentam reconstruí-los, mas o próprio Pernas corrige:

> Ele me deu o troféu, mas para receber a medalha de segundo lugar. No vestiário eu o devolvi e hoje deve tê-lo em sua casa. Não é verdade que não ficou com ele. Obviamente recebeu com dor, com a sensação diferente depois de sair vice-campeão.

Um instante da caminhada até receber a medalha pelo segundo lugar ficou eternizado. Assim sucede com as fotos históricas. Cora Gamarnik escreveu *Instrucciones para mirar una fotografía* [Instruções para olhar uma fotografia]; ali resume que em uma foto devemos "ver o que ela sintetiza, o que simboliza, o que indica. Ver se é uma impressão, um vestígio ou um rastro. Ver que chama acende, que vazio deixa, como

Memórias de um troféu

golpeia. Pensar se é um testemunho, um documento, um aguilhão ou um facho de luz."

A imagem de Messi olhando para o troféu da Copa do Mundo simboliza sua vida na seleção argentina. Se fosse um pesadelo, teria os braços amarrados e não poderia tocá-la. Acende a chama da compaixão, deixa o vazio de quem tanto ganhou, mas que não ganhou o que tanto queria, golpeado pelo sonho não cumprido.

É um testemunho, claro; é o aguilhão de sua vida também, e um facho de luz que nele se apoia. Um facho que leva a não poder reparar em outra coisa a não ser em seu olhar de pura frustração. Tudo isso gera a límpida lembrança que extraiu o chinês Bao Tailiang, ganhador do prêmio da melhor foto esportiva desse ano segundo a prestigiosa World Press Photo Foundation.

Tailiang disse na época: "A glória coletiva é sempre mais importante que a glória individual. Alguém disse que a imagem revela uma história profunda. Não acredito que esteja muito longe da verdade".

Em junho de 2016, Joseph Blatter, já sendo ex-presidente da FIFA, revelaria a Sebastián Fest do jornal *La Nación* como foi o momento prévio da distinção ao melhor jogador da Copa do Mundo: "Messi falava sozinho, ele dizia para si mesmo uma e outra vez: 'o melhor, mas não o campeão' ".

Agora, da Suíça pelo telefone, mais uma vez se prende à ideia de falar do melhor futebolista que coincidiu com sua gestão. Blatter começa com uma lembrança sensível:

> Eu teria gostado que a Argentina tivesse ganhado. Queria ver feliz meu amigo Julio Grondona, de quem sinto saudades. Julio sentia

que era sua última oportunidade. Chorou depois da final. Estava preocupado pela sua saúde, tinha dificuldades para respirar. 'Acabou tudo', me disse. Uma premonição.

A FIFA precisa de craques para vender o produto. Nenhuma atividade é comercializada com tanto êxito. A matéria-prima do negócio é um argentino a quem Blatter conheceu sem muita profundidade:

Troquei com ele algumas palavras em cada evento de premiação. Messi é muito humilde. A primeira vez que o vi foi na Copa do Mundo Sub-20 em 2005. Corria e se mexia de um jeito excepcional, um bailarino em grande velocidade. Tempos depois, em 2013, me perguntaram, em uma coletiva de imprensa em Oxford, quem era o melhor entre Messi e Cristiano Ronaldo. Escolhi Messi, era o que eu sentia. Isso fez que Florentino Pérez, presidente do Real Madrid, ligasse para mim questionando a minha escolha. Eu sou sócio de honra do Real Madrid, mas respondi o que sentia. Estamos falando de um dos melhores de todas as épocas: meu ídolo Alfredo Di Stefano, Pelé, Bobby Charlton, Puskás, Maradona e Messi. E não ponho em uma ordem especial, não é o mesmo futebol: antes quem tinha a bola poderia olhar até para os lados.

O prêmio de melhor jogador da Copa do Mundo gerou polêmica. O rendimento de Leo na semifinal com a Holanda e em parte no encontro decisivo contra a Alemanha não tinha sido dos melhores. Houve especulações sobre a interferência da Adidas, patrocinadora da FIFA e de Messi.

Lucas Biglia relativiza:

Isso não tem sentido. A Adidas tinha jogadores alemães também. Além disso, ele tinha jogado bem na Copa do Mundo. Reconheço que ele não tinha interesse naquela premiação. Percebemos de cara em como ele o recebeu. O objetivo de todos era a vitória coletiva.

Memórias de um troféu

Agüero, seu grande amigo do futebol que participou da final, embora longe de seu estado físico ideal, começa a arredondar o capítulo:

> Foi difícil pelo contexto. Tínhamos acabado de deixar escapar o título de campeão do mundo. Nesses momentos, todos sentíamos uma grande dor. Tivemos durante o jogo as melhores chances e tínhamos sido superiores. Era difícil avaliar que havíamos chegado a uma final. Em outros esportes, quem leva uma medalha, mesmo que não consiga o ouro, acaba comemorando o fato de ter conseguido subir no pódio. Acredito que isso seja algo que todos temos que aprender. Dor por ser derrotado? Com certeza. Mas também orgulho por ter chegado tão alto. Leo merecia a premiação. Sem dúvidas, foi o melhor jogador dessa Copa do Mundo. Hoje podemos enxergar com mais clareza.

Um tempo depois, Blatter declara sua impressão:

> Possivelmente Messi não tenha sido o melhor jogador da Copa do Mundo. Contudo, seu jogo e sua personalidade mereciam destaque. A Adidas não teve nada a ver com isso. Foram os jornalistas especializados que votaram. Portugal não tinha tido um bom desempenho na Copa do Mundo, por isso Cristiano Ronaldo tinha menos peso, e Messi sempre tem um crédito a mais na opinião pública.

No começo do ano de 2015, em uma entrevista para o portal da FIFA, Messi teve que voltar a assistir ao gol que errou no segundo tempo: um chute do lado esquerdo da grande área que, ao não bater na bola em cheio, fez que ela se desviasse muito. "O que você quer que eu fale? Vamos nos arrepender a vida inteira das chances que tivemos". Antes de sair do Maracanã, naquele domingo à tarde de 13 de julho de 2014, Messi tinha declarado: "Demos tudo, nos esvaziamos. Mas a dor será para sempre". Com o tempo confessaria que, meses após aquela final, ainda tinha dificuldades para dormir bem.

Hoje a ferida está mais cicatrizada. No entanto, todos aqueles que fizeram parte desse grupo sempre terão a mesma perspectiva para definir o sentimento.

Assim recria o panorama Fernando Gago:

> Não gostaria de me enfiar na cabeça de Leo antes de uma final. Já é suficiente relembrar a ansiedade que eu tinha na noite anterior ao jogo contra a Alemanha para imaginar em quais condições estaria ele. É lógico que Leo sofre se passamos anos e anos dizendo que ele não ia superar Maradona porque nunca ganhou uma Copa do Mundo... Embora tivéssemos dado tudo no convívio e no campo, o vestiário após a final é a pior lembrança que tenho da minha carreira. O rosto de Leo naquela noite é indescritível. Seu choro depois da partida foi nossa imagem. Estávamos enrolados com bandeiras atrás dele. Ainda hoje, eu abriria mão de muito do que eu tinha em troca de que Leo conseguisse ganhar aquela Copa do Mundo.

Messi começava a se acostumar com aqueles desfechos. A sentir de perto a glória e vê-la se afastar. Até uma nova oportunidade. Com o peso de uma maior responsabilidade. E a necessidade de se afundar na solidão. Assim descreve Lucas Biglia:

> Nunca me esquecerei da noite após a final. Não conseguimos dormir. Enquanto isso, ele estava fechado no quarto. Entre nós tentávamos imaginar o que passaria por sua cabeça e nos perguntávamos quando poderíamos lhe estender a mão.

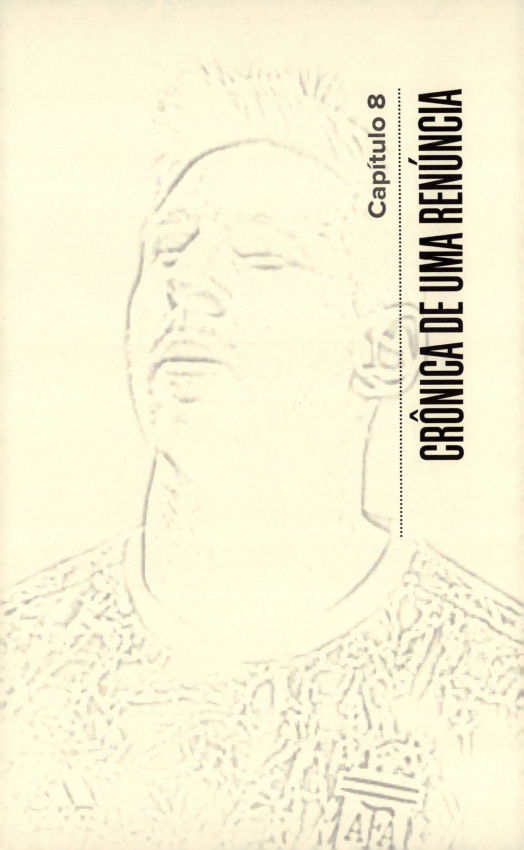

Capítulo 8

CRÔNICA DE UMA RENÚNCIA

8

HEGEL PROPÔS QUE A história se repete. Marx ampliou, dizendo que a primeira vez assume a forma de uma tragédia, e a segunda, de farsa. A Copa América, nas edições de 2015 e 2016, confirma isso.

Jorge Luis Borges acreditava que a terceira vez não é encanto, mas uma aparição de Deus. O livro *Sete noites* faz uma compilação das palestras que o autor deu em 1977 no teatro Coliseu. Ali se pode ler uma referência ao paradoxo de que a Biblioteca Nacional da Argentina tenha tido três diretores com cegueira parcial ou total; um deles é ele, obviamente: "Dois é uma mera coincidência; três uma confirmação. Uma confirmação divina ou teológica". Borges, justo Borges, como oráculo de um padecimento futebolístico.

As semelhanças só reforçam o desânimo. Ainda assim, aquelas não foram as únicas coincidências dos dois anos de Gerardo Martino à frente da seleção como técnico. Além de perder duas finais para o mesmo rival (Chile) e do mesmo jeito (definição nos pênaltis), seu ciclo começou e terminou com a renúncia de Messi.

Naquele momento não se tornou público, mas uma das primeiras advertências que Martino recebeu em agosto de 2014 de parte de Luis Segura, presidente da AFA, foi a seguinte: "Temos que falar com Messi; ele não quer vir mais". O "Tata"(apelido de Gerardo Martino) o tinha dirigido durante a temporada anterior no Barcelona, clube ao qual chegou depois de uma grande gestão no Newell's, e com rumores de uma suposta interferência de Leo em sua nomeação.

MESSI — O GÊNIO COMPLETO

Martino, que foi embora do Barça arrependido de ter assumido, soube como ativar a necessidade de seleção que teria Messi apesar da desilusão de ter perdido a final da Copa do Mundo: "Você é muito jovem, estaria disposto a não se ver mais nos jogos da seleção?", perguntou-lhe. Isso foi mais que suficiente. O restante foi resultado de sua obsessão de vencer.

Já se estava falando com frequência de um suposto condicionamento que os técnicos recebiam dos jogadores. Entretanto, muitas vezes Martino comentou com seus mais chegados que estava surpreso com a ideia que se ventilava de que as decisões dos treinadores se baseassem nas opiniões do time (na realidade, dos que eram referência no time, pois ninguém acreditaria que um substituto poderia ter o peso suficiente).

Durante dois anos, não perguntei nada ao Messi nem impus condições — respondia Tata na intimidade sempre que seus amigos se preocupavam em saber se os rumores eram verdadeiros. — Além do mais, eles se veem como um grupo que se autogerencia, mas não pela eleição de um futebolista. Nisso eles não se envolvem.

A autogestão foi uma definição que surgiu no seio da equipe. Com uma década na elite do futebol mundial, em média, e uma vida com a camisa argentina, aqueles jogadores de referência acreditavam que restava muito pouco para escutar. Javier Mascherano já contava com sete gestões de diferentes treinadores na seleção; Messi, seis; Sergio Agüero, cinco; Nicolás Otamendi, Gonzalo Higuaín e Sergio Romero, quatro; Lucas Biglia, três. Às vezes, os jogadores demoram a entender que sempre fica um conceito para aprender, uma olhada com perspectiva que alguém lhes pode recomendar ou uma autoridade que simplesmente queira organizar.

150 · · · ·

Crônica de uma renúncia

A formação da lista para a Copa América de 2016 alimentou o imaginário popular. Uma lesão muscular de Biglia se somou aos incômodos que Javier Pastore sofria, o que resultou no fato de o técnico assumir os riscos de não levá-lo em condições ideais. Com o Biglia era diferente, porque tinha decidido trocá-lo por Guido Pizarro. Messi nunca se envolveu no tema. Mascherano, sim, simplesmente falou para o treinador que Biglia estava chorando no quarto. O técnico o encontrou sozinho, recluso na escuridão. Ele o escutou dizer com tamanha segurança de que precisaria apenas de duas semanas para voltar a jogar; assim, recuou e não o desconvocou. Treze dias depois, Biglia entraria no segundo tempo daquele encontro contra a Bolívia que terminou com o resultado de 3x0 para a Argentina.

O ciclo Martino teve dois picos de rendimento: casualmente, nas quartas de final e nas semifinais das duas Copas. Em tais casos de 2015, Messi foi a figura principal no 0x0 contra a Colômbia, antes da classificação por pênaltis, e se formou uma grande parceria com Pastore no 6x1 contra o Paraguai. Nas de 2016, converteu no 4x1 contra a Venezuela e no 4x0 perante o anfitrião Estados Unidos; nesse jogo bateu aquela cobrança de falta que entrou no ângulo oposto, um dos melhores gols de sua trajetória na seleção.

Na segunda Copa América consecutiva, Leo chegou contundido, fruto de uma pancada que sofreu inusitadamente no amistoso prévio à viagem para os Estados Unidos, um 1x0 contra Honduras, em San Juan. Assim relata Óliver Morazán, o zagueiro da seleção América Central, justamente o protagonista do lance:

> A defesa argentina afastou um escanteio e Messi tinha ficado na ponta para sair no contra-ataque. O meu companheiro Johnny Leverón foi atrás dele. Messi ficou entre mim e Johnny, que voltava

> da área. Johnny apoiou-se levemente nas costas do Messi, e ele caiu no meio dos dois. Tive que pular para não bater de frente com ele, e foi ali que bati involuntariamente com a minha perna na altura de suas costas. Saiu rapidamente do campo. Quando acabou o jogo, fui procurá-lo, mas já o tinham levado. O professor Tata Martino me disse: "Foi uma jogada circunstancial; pode ir tranquilo, amigo". É verdade que ele perdeu o primeiro jogo da Copa América, mas no segundo marcou três gols no Panamá.

Morazán se lembra bem. Ausente no 2x1 contra o Chile na estreia por causa daquela pancada, Messi entrou para desnivelar no 5x0 contra o Panamá. Também jogou no 3x0 contra a Bolívia, e foi chave naqueles dois comentados jogos contra a Venezuela e contra os Estados Unidos. Foi assim que a Argentina chegou novamente a uma final contra o Chile e outra vez em boa forma futebolística, ainda que, nesse encontro, houvesse jogadores contundidos (Ángel Di María, Augusto Fernández e Ezequiel Lavezzi tinham ficado de fora durante a competição).

> A outra preocupação era a resposta mental: boa parte da equipe tinha sofrido decepções nas duas finais consecutivas. Uma frustração que tinha deixado seu lugar a outra, em que cada passo vinha carregado de pressão para o seguinte.

Aqueles que compartilharam a espera do jogo decisivo contra o Chile em Santiago, em 2015, sempre se lembrarão da tensão vivida, sobretudo no caso de algum jogador da elite. Gerardo Martino tentou se antecipar e somou para a Copa dos Estados Unidos o ex-jogador de rúgbi, Federico Todeschini, especializado em *coaching* e com um passado de Copa do Mundo como jogador:

> O meu papel era ajudar o corpo técnico a conseguir que os jogadores pudessem ter na seleção o nível que apresentavam em

Crônica de uma renúncia

> seus clubes — descreve "El Ninja" (apelido de Federico Todeschini). Que pudessem estar à vontade e até aproveitar aquilo que estavam fazendo. Que fossem autênticos. Por meio de conversas individuais e grupais, procurávamos pôr na mesa as dificuldades que tinham na seleção. Era um grupo extraordinário, com companheiros dispostos a dar tudo por aqueles que estavam a seu lado. A verdade é que vinha à luz o estado mais puro desse elenco, o prazer de poder estar naquele lugar e naquele momento. Se conseguissem essa versão dentro do campo, o resultado seria somente a consequência.

Os jogadores tinham de acompanhar o gene competitivo com o prazer de estar onde estavam, uma sensação difícil de encontrar em um âmbito de muita pressão. Messi era um caso especial, como em cada área da vida:

> Leo não é aquele extraterrestre que o público vê, mas uma pessoa normal com um tremendo talento. Não pode sair do quarto do hotel porque o segurança o detém para lhe pedir que tire uma foto; daí para frente, acontece permanentemente como ninguém. Não tem vida quando está na seleção. Dentro do grupo é só mais um, divertido, participativo. E com uma caraterística especial: não gosta de perder nada.

Na semana anterior à final, para completar, o lixo escondido debaixo do tapete veio à tona. O inconsciente boicote interno. E foi o próprio Messi quem fez arrebentar a fina corda que sustentava a paz interna.

A demora no voo de Houston, onde venceram a semifinal, para Nova Jersey, onde jogariam o encontro definitivo, o levou a usar sua conta no Instagram: "Outra vez esperando dentro do avião para tentar chegar ao nosso destino!!! Que desastroso é este pessoal da AFA, meu Deus!!!". Não sabíamos, mas seria o primeiro de muitos episódios da mudança de personalidade. Ou melhor dizendo, segundo a ideia de que não mudamos, mas que demoramos para demonstrar e revelar a nossa verdadeira personalidade. Nos dois anos seguintes Messi explodiria contra outro técnico da seleção, desafiaria a organização do futebol sul-americano e tentaria sair do Barcelona. No entanto, ainda faltava um pouco para isso acontecer.

Luis Segura, que naquele momento era presidente da AFA, revela:

> Messi havia se confundido. Nós não tivemos nada a ver. Os horários e os voo estavam a cargo do Comitê Organizador da Copa. Ficamos sabendo do atraso da mesma forma que eles. Tentei explicar a ele. Mas aquilo que se escreve nas redes é impossível apagar.

O preparador físico Elvio Paolorosso tem presente aquela situação:

> No avião já não tinha mais espaço, não cabiam todas as coisas que estávamos levando. Por isso, foram necessários dois aviões. Em um deles, fomos nós, e outra aeronave sairia mais tarde. Já estávamos todos dentro, todo mundo sentado, e essa mudança de malas e bolsas demoraram uma hora.

Depois de algumas horas, Leo reconheceu entre nós: "Perdi o controle". Contudo, já tinha deixado claro seu parecer não apenas de forma virtual, mas também em uma coletiva de imprensa. Ele tinha encontrado o momento para disparar:

> Agora gostaria de pensar somente na final, depois direi o que penso. Em todo caso, já sabem que eu gostaria que a AFA fosse aquilo que a seleção merece. Faz muito tempo que essas coisas estão acontecendo.

A AFA, nesse momento, passava por um total processo de reestruturação: a FIFA e a Conmebol já tinham a nova estrutura que dirigiria o futebol argentino. Falava-se de um Comitê de Normalização, impulsionado

Crônica de uma renúncia

nada menos que pelo presidente da nação argentina, Mauricio Macri, depois que não conseguisse empossar a Armando Pérez como titular da AFA.

No dia anterior à final, sabendo que seria retirado do cargo, Segura voltou para Buenos Aires:

> Já não tinha nada a fazer nos Estados Unidos ao lado da equipe. Foi uma decisão insólita, porque já tínhamos data marcada para a realização de eleições. Todos supunham que tinha sido uma decisão da Conmebol e da FIFA.

A delegação ficou praticamente desprovida de liderança, salvo pela permanência de Claudio Tapia, que era quem mais tinha vontade de ficar perto da seleção.

Tapia cobriu com seu cartão de crédito pessoal vários gastos da delegação durante aquele mês. Entre outras histórias que nada têm a ver com uma equipe de elite, Messi foi consultado para autorizar a presença de alguns empresários em uma viagem de avião com eles; em troca, os dois empresários liberariam os 15 mil dólares necessários para montar a academia na concentração que a equipe planejava.

Desde o começo, Martino tinha imaginado a desorganização e a perda de peso político após o falecimento de Julio Grondona. Paolorosso acabou sendo testemunha de primeira linha de cada etapa que antecedeu a posse do novo técnico:

> Primeiro, o Tata rejeitou três vezes o convite para dirigir a seleção. Em uma quarta-feira tivemos uma reunião que durou uma hora. Nós nos encontramos em Buenos Aires com três dirigentes, Luis Segura, Julito Grondona e Miguel Silva. Antes de sua chegada a Rosário, já estava convencido de não aceitar o cargo. Na quinta-feira, recebi uma ligação para que falasse novamente com ele, e respondeu o mesmo; na sexta feira, igual. Pela noite, anunciaram que viajariam para se encontrar com ele. "O último desejo de Don Júlio

> era contratá-lo para a seleção principal", " me deram certeza. Esse foi o clique. O Tata me pediu para dizer a vocês para não irem, que ele ligaria para vocês e que finalmente assumiria o cargo. Isso, sim, — antecipou — seriam tempos difíceis. "Em termos de liderança, o futebol argentino vai sofrer", me disse. Percebeu o que estava vindo.

A discussão entre Messi e os dirigentes não era a única nuvem que pairava no horizonte daquela que simulava ser uma pacífica concentração argentina.

Como Tata evitou se referir ao jogador depois de seu distanciamento, nunca se pronunciou sobre as razões de sua renúncia. A argumentação conhecida foi a impossibilidade de montar, na volta da Copa América, o time ideal para os Jogos Olímpicos, uma competição que especialmente o motivava e pela qual tinha feito um mapa de possíveis formações durante meses. As negociações truncadas pela falta de liberação dos jogadores e a omissão dos diretores para ajudá-lo nessas convocações precipitaram sua decisão. Contudo, no meio midiático o que sempre circulou foi outra versão.

Teria acontecido alguns dias antes da final, tendo como protagonista o melhor jogador de futebol do mundo. Messi teria manifestado a Martino seu desconforto com a equipe e com os métodos de trabalho de Elvio Paolorosso. Teria falado como capitão, mas em nome de vários companheiros. Surpreendido pelo momento no qual a conversa havia sucedido, tão perto do jogo decisivo, Martino já teria decidido renunciar logo após a Copa. Caso essas palavras tivessem sido ditas, os jogadores não poderiam ter pensado que o afastamento de um ajudante seria motivo suficiente para que Tata tomasse uma decisão tão drástica?

Paolorosso tinha conhecido Messi no Barcelona:

Crônica de uma renúncia

> Naquele time, vivia tranquilo e se sentia respeitado. Na Argentina, perdia a serenidade pela pressão de ganhar algum título. No entanto, não o manifestava. Os superdotados não se mostram assim. No vestiário do Barcelona, falava com liberdade, mas, na seleção, nós percebíamos o peso que carregava — compara.

Tanto lá quanto na seleção, não há lembranças de discussões. Paolorosso é daqueles que gostam mais de escutar do que impor. Provavelmente a diferença residisse nos métodos de trabalho a que ambos estavam habituados. Embora o próprio preparador físico negue isso:

> Se existia algum jogador incomodado, não tenho como saber. Mas nunca tive acesso a nenhuma informação. Além disso, os métodos não eram tão diferentes. O corpo técnico se lembra disso. Todos estavam conscientes de como se trabalha no futebol argentino. Fora isso, eu falava com os colegas das equipes em que atuavam os jogadores da nossa seleção. Perguntava-lhes, por exemplo, se faziam levantamento de pesos; caso dissessem que não, esse jogador na seleção também não faria exercícios desse tipo. Não posso me queixar daquilo que vivemos. Era um bom grupo. Sei o que sentem pela seleção, principalmente Leo. Ele mora perto do mar Mediterrâneo em um lugar extraordinário. E como todos os castigados por perder três finais, abandonava a zona de conforto depois de jogar mais ou menos 5 mil minutos por temporada em seu próprio time. Era justo que fossem castigados?

Apesar do incômodo diante de uma situação fora do normal pela falta de diretores e a provável rachadura do técnico com alguns jogadores, a seleção argentina teve tudo a favor para alcançar aquele título que sempre lhes escapava. A expulsão de Marcelo Díaz pelas duas faltas cometidas em cima de Messi deixou o Chile em inferioridade numérica aos 27 minutos do primeiro tempo. Mas uma, sem necessidade, de Marcos Rojo em Arturo Vidal antes de terminar aquele primeiro tempo, além da exagerada punição do juiz brasileiro Héber Lopes, equilibrou as equipes. Ao longo dos 120 minutos, a Argentina tinha, assim como contra a Alemanha em 2014, as melhores situações de gol. Dessa vez, do mesmo jeito que em 2015, o campeão seria decidido nos pênaltis. E o começo não poderia ter sido mais promissor: Romero pegou o primeiro chute de Vidal. Messi faria o primeiro pênalti da Argentina.

Em que momento, daqueles 30 segundos em que caminhou do meio de campo até receber a bola na grande área, teria decidido em que canto chutar? Ou teria acontecido nos 15 segundos entre o momento em que ajeitou a bola e correu? Teria mudado de decisão naquele instante? Ou teria decidido não mudar?

Naquele domingo de 26 de junho, no estádio MetLife de Nova Jersey, o mesmo lugar onde tinha feito três gols contra o Brasil em um 4x3 em 2012, Messi chutou por cima do travessão. Desde aquele momento, ninguém conseguiu deter seu presságio. Os gols de Nicolás Castillo, Mascherano, Charles Aránguiz, Agüero e Jean Beausejour o sufocaram. O chute de Biglia, defendido por Claudio Bravo, o isolou dos companheiros. Começou a caminhar sem rumo, cobrindo o rosto com a camisa. Quando Francisco Silva converteu a última bola em gol, o Chile ganhou a segunda Copa América consecutiva e a Argentina perdeu a terceira final em três anos (a quarta em nove anos). Leo já se dirigia sozinho em direção ao banco de reservas; literalmente perambulava à procura de um lugar onde perderia o olhar. Sozinho novamente. Antes de chorar, outra vez.

Marcelo D'Andrea, integrante da equipe técnica, o resgatou daquela situação como tantas outras vezes.

Crônica de uma renúncia

> Vê-lo destruído dói. Ele se afasta, se fecha. Nesse momento, percebi que, atrás do banco de reservas, estavam sua mãe e seu pai. Era de partir o coração: olhavam com a impotência de um pai que não pode se aproximar de um filho tão abatido.

Quem veio o abraçar foi seu amigo Agüero:

> Nesses momentos, só podemos estar ao lado da pessoa, porque não existe consolo. A tristeza é interna, e cada um se refugia no que pode para voltar a se reerguer. Mas isso não tem a ver com animar o outro, mas respeitar o que cada um sente.

Mariano Andújar acertou: "Foi o pior vestiário que vivi na seleção. O que acabava com a gente era voltar a viver a derrota. A gente se perguntava em que havíamos falhado. Não podia ser verdade".

Omar Souto, empregado da AFA, conta: "Todos choravam, até o Tata. Uma amargura total".

De Martino, que não voltaria a aceitar entrevistas das mídias argentinas, nunca se escutaram referências detalhadas a respeito desse momento. Em abril de 2020, em um bate-papo entre treinadores organizado pela Escola de Técnicos Nicolás Avellaneda, simplesmente falaria a seus colegas:

> Chegar às finais não é uma questão trivial; é preciso fazer muitas coisas boas para alcançá-lo. Em dois anos, esses garotos jogaram 19 jogos entre a Copa do Mundo e as duas Copas América e não perderam nenhum jogo nos 90 minutos.

Javier Mascherano, o único que tinha estado com Messi nas quatro finais perdidas, não tem a menor dúvida:

> O pior momento foi o da final de 2016. Estávamos destruídos. Leo o exteriorizou. E acredito que lamentavelmente naquela hora

começou a cair a nossa geração na seleção. Sempre me lembro de uma coisa que está dentro de mim que Pablo Zabaleta havia comentado alguns meses antes: "Possivelmente tenhamos que entender que não é para nós". Nos faltaram detalhes sempre nas finais. Não fomos muito superiores, mas também não fomos inferiores. Nas Copas de 2014 e 2016 merecíamos ganha, embora seja verdade que na Copa dos Estados Unidos chegamos arrebentados, com muitas lesões. Ainda que nós, os argentinos, nos agarremos à ideia de ganhar de maneira heroica, geralmente o campeão é quem chega mais forte.

Todeschini complementa: "A última semana foi a pior. Apareceram todos os problemas de uma vez. Depois da final, não haveria tempo para fazermos um balanço. Tudo explodiu pelos ares".

Paolorosso acrescenta uma sequência incrível de diferentes ângulos:

Foi o vestiário mais triste que vi na minha vida. E não foi somente no estádio. Terminamos o jogo, voltamos para o país em voo fretado e fomos de ônibus até o prédio da concentração da AFA em Ezeiza. Depois de toda essa viagem, de muitas e muitas horas, passei pelo vestiário do prédio e achei Messi chorando sozinho. Apenas consegui abraçá-lo e chorei com ele.

Só de imaginar a situação, é impactante: o melhor jogador do mundo no lugar onde tinha entrado timidamente doze anos antes e, com ele, o profissional que tinha sido questionado.

Messi estava derrubado porque tinha (e tem) uma conta pendente; somente uma conta pendente, mas que pesa muito mais do que todas as metas cumpridas.

Quem sabe sua personalidade introvertida se confunda com seu fogo interior, e talvez não aparente ser o animal competitivo que é.

Crônica de uma renúncia

Erro de leitura, basicamente porque somente uma mentalidade ganhadora ao extremo pode se manter mais de uma década no degrau mais alto do futebol mundial. A derrota o deixa travado, o anula, o frustra como ninguém.

Assim é desde criança: "Nas primeiras semanas na Espanha, brincando no terraço do hotel, certo dia ganhei dele, o que o deixou irritado, tanto que arremessou a bola para baixo, conta Fabián Soldini, presente naqueles tempos iniciais no Barcelona. Assim é na intimidade:

> Em uma noite, estávamos em sua casa, jogando truco. Eu estava ganhando e tirei sarro dele algumas vezes, fiz de conta que me interessava mais meu celular do que o jogo. Então, ele pegou o meu celular e o arremessou contra a parede, simplesmente o destruiu. "Este cara não me zoa mais", gritou — relembra D'Andrea, muito mais cúmplice do que massagista. Assim é como se afunda se a seleção está envolvida. Ainda mais, se é responsável pelos fatos.

Depois da intimidade solitária e muda no vestiário, Leo foi encarar as câmeras. Na primeira fileira o esperava Martín Arévalo, do TyC Sports:

> Sua entrada no vestiário, totalmente angustiado, levou muitos a se perguntarem o que ia acontecer. Lembro que Martín Demichelis me ligou para perguntar: "Não vai dizer nenhuma bobagem?". No Brasil, Leo tinha falado depois da final com a Alemanha. No Chile, tinha ido embora em silêncio e, depois de subir no ônibus, não parou de chorar. Nos Estados Unidos sabia exatamente o que ia dizer. Não foi fingimento; estava, de fato, muito abatido.

Quando Arévalo lhe perguntou se podia pensar nas eliminatórias ou se a Copa do Mundo na Rússia estava muito longe para ele, Messi soltou:

MESSI — O GÊNIO COMPLETO

É difícil, é um momento duro para analisar. A primeira coisa que me vem à cabeça é aquilo que estava pensando agora no vestiário: basta. Para mim, a seleção terminou. São quatro finais; não é para mim. Eu busquei, era o que mais desejava e não aconteceu. Acredito que já deu.

A Argentina tinha terminado a Copa América com cinco vitórias, um empate, com média de três gols a favor por jogo e apenas dois gols sofridos em seis embates, mas o fim foi o mesmo. Assim terminaria o ciclo Martino, somente com uma derrota em jogos oficiais durante dois anos (contra o Equador nas Eliminatórias) sem poder se destacar no último jogo. Também parecia que havia terminado a era Messi na seleção.

Os jogadores e a equipe técnica ficaram sabendo, pois começaram a receber mensagens nos celulares. Andújar se surpreendeu: "Não nos comunicou que havia pensado em renunciar. Não falou com ninguém". Biglia reconhece:

> Ele se sentiu culpado. Tinha errado o pênalti e não se perdoou em falhar. Não se perdoa por ter falhado. Sentia que tinha decepcionado. Para ele, essa final foi uma grande frustração. Sentia muito peso. Não acredito que tenha parado para pensar em abandonar.

Agüero explica:

> Disse aquilo que sentiu na hora. Acredito que isso também já aconteceu alguma vez com o Mascherano. Além de sentirmos que o resultado não era justo, voltávamos a passar pela mesma situação. Algo que foi muito difícil de enfrentar. Fora isso, Leo se sentia muito mal por ter errado o pênalti. Naquele momento, foi uma sensação que todos compartilhamos. Mesmo depois de alguns meses, percebemos que tínhamos que continuar tentando.

Crônica de uma renúncia

O jornalista Ezequiel Fernández Moores argumentou no jornal *La Nación*:

> Se Messi tivesse ganho, escutaríamos que "uma Copa América não é uma Copa do Mundo". "Messi" — escreveu Jorge Valdano no jornal mexicano *Récord* — "não joga finais para alcançar a glória, mas sim para que o perdoem".

Marcelo D'Andrea foi uma das pessoas que ele não atendeu nas semanas seguintes:

> Passou mais de um mês sem responder a ninguém. Depois, consegui falar com ele a respeito da sua renúncia. Foi uma maneira de dizer "dou tudo e não consigo nada". Sentia que tinha decepcionado. Até que lembrou que ama a seleção e não podia deixá-la.

Após a frustração pela final da Copa do Mundo, Leo superou o luto e voltou. Depois da tristeza misturada com culpa pela terceira final perdida consecutivamente, voltaria a tentar. Para que talvez o perdoassem. Para se redimir, com certeza. Dessa vez, voltaria consciente de que nada seria fácil, mesmo que não conseguisse tirar o peso dos ombros.

Capítulo 9

UM JOGO ÉPICO

9

A SEGUNDA RENÚNCIA DE Messi na seleção foi resolvida bem depressa. Ele mesmo a solucionou; passou rápido aquilo que sentiu no vestiário do MetLife de Nova Jersey: em 26 de julho de 2016 comunicou que não voltaria e, no 1º. dia de setembro, apenas oitenta dias depois, estava de volta ao campo vestindo a camisa da seleção argentina. "Senti que era uma mensagem errada para o público e para os mais jovens. Temos que lutar por aquilo que queremos", disse em uma reportagem em sua casa de Barcelona ao jornalista Martín Souto antes da Copa do Mundo de 2018. Contudo, para chegar à Copa do Mundo, teve (mais do que nunca é bom usar no singular) que superar a tempestade.

A luta pela classificação para ir à Rússia foi a era mais caótica dos últimos quarenta e dois anos. Desde a década de 1970 não se podia ver tão claramente que a equipe nacional não era uma prioridade para os dirigentes: eles preferem seus clubes à seleção; parece algo lógico para os torcedores, mas eles deveriam priorizar o bem comum em detrimento do pessoal. Gerardo Martino tinha deixado o cargo depois de receber inúmeras rejeições em sua intenção de somar jogadores de alto nível para os Jogos Olímpicos, para os quais o novo técnico passou a ser Julio Olarticoechea, somente porque nesse momento se encontrava no complexo Ezeiza. Na seleção principal, assumiu como treinador Edgardo Bauza, ex-jogador, mas só durou oito jogos. Desses oito, todos de eliminatórias, com Messi, a Argentina venceu três partidas e perdeu uma; sem o camisa 10, empatou em duas ocasiões, caiu em outras duas e não ganhou nenhuma vez.

No penúltimo encontro do curto ciclo de Bauza, a Comissão Disciplinar da FIFA usou as imagens televisivas para poder sancioná-lo depois da vitória contra o Chile. Messi, apesar de sempre cobrir a boca para esconder tudo o que diz no campo, tinha insultado o árbitro assistente Emerson de Carvalho sem se cobrir. "É como se um ladrão colocasse uma meia na cabeça quando toma café da manhã com a família e depois a tira para entrar no banco para roubar. Realmente desconcertante", escreveu Alejandro Caravario na revista *Un Caño*. A AFA conseguiu reduzir a sanção de quatro jogos para um, e assim Messi compareceu nos três jogos pelas eliminatórias do começo do ciclo de Jorge Sampaoli. No entanto, conseguiram apenas três empates; no último jogo de classificação, a seleção chegou à sexta colocação entre dez equipes, contra o Equador, em Quito.

Se a Argentina perdesse, era preciso que o Paraguai não ganhasse da Venezuela e que o Peru perdesse para a Colômbia, tudo isso para chegar a uma repescagem. Se empatasse, dependia desses resultados e, fora isso, precisaria que o Brasil ganhasse do Chile; então, poderia ser classificada. Naturalmente, se ganhasse era mais fácil: assim tinha a certeza de ir para a repescagem além dos outros jogos e da passagem direta com a vitória do Brasil.

> Definitivamente, depois de jogar durante três anos consecutivos pela glória, a seleção estava se preparando para evitar um dos fracassos mais importantes da história do futebol argentino.

A única notícia positiva era a crise instaurada na seleção do Equador, com a então recente mudança de técnico. A necessidade levava os dirigentes argentinos a procurar manter qualquer contato que servisse para trazer tranquilidade nos dias prévios. Mas não precisava ficar pendente da qualidade dos jogadores rivais: a intenção do Equador de mudar os rostos em

Um jogo épico

uma equipe criticada levou-a a deixar de fora alguns dos mais experientes. De fato, quando a Federação comunicou a troca de treinador, fez isso de uma maneira particular: "O conselho anuncia sua intenção de começar, a partir de agora, a transição e a renovação que exige a seleção".

No lugar de Gustavo Quinteros, outro argentino, Jorge Célico, assumiu o Equador. Tinha que dirigir os dois jogos restantes, contra o Chile, em Santiago, e contra a Argentina, em Quito. Embora ainda tivessem possibilidades de classificação para a Copa do Mundo, não convocou para esses encontros vários nomes conhecidos: o zagueiro Gabriel Achilier e o meio-campista Christian Noboa, ambos com 34 anos, e o atacante Felipe Caicedo, de 30 anos. Antonio Valencia, o principal, ficou de fora pelo cartão amarelo que recebera na derrota contra o Chile, resultado que deixava o Equador sem chances de classificação.

Célico também foi descartado: foi expulso por uma discussão que teve com Arturo Vidal e não pode estar no banco contra a Argentina. Seu assistente, Patricio Lara, também argentino, assumiu seu lugar. A este relato poderíamos acrescentar aqui alguma manobra suspeita entre conterrâneos, um acordo entre os diretores ou algo que alimente a imaginação popular. Que a verdade não cubra uma boa história, segundo o senso comum. Contudo, não existem argumentos nem de um nem do outro lado, para desconfiar. Ainda hoje Achilier reconhece: "A equipe técnica tinha outras preferências. Queria aumentar as opções pensando no futuro. Para aqueles de nós que tínhamos ficado de fora nos pareceu lógico que quisessem novos rostos".

Lara relembra o cenário:

> Chegavam até nós as especulações que se montavam. Não somente a Federação estava de acordo com aqueles jogadores que fizemos questão de convocar, como também o público se mostrava

insatisfeito com os jogadores habituais. A verdade é que decidimos correr o risco de entrar para a história. Além de sermos argentinos, tínhamos a oportunidade de aumentar o nosso curriculum.

Foi surpreendente que o forte atacante Enner Valencia ficasse no banco de reservas. Tendo isso em mente, Jorge Sampaoli tinha especulado em mudar a linha defensiva em razão de sua entrada. Lara conta o motivo: "Cobrimos mais o meio de campo e quisemos atacar pelas laterais com Ibarra, Romario e Renato, para terminar com José Ordóñez, que com seu 1,85 conseguia nos dar maior presença ofensiva que o Enner".

O então embaixador da Argentina no Equador, o cordovês argentino Luis Juez, se lembra de conversas anteriores ao jogo:

Tinha comentado com Jorge Sampaoli que Ordóñez tinha algumas coisas de Romario. "É tão habilidoso assim?", se surpreendeu. "Não, é metade guarda-roupa e metade armário". Nessas horas prévias, o ambiente entrava em parafuso. O técnico estava nervoso, e os jogadores sabiam o que arriscavam. No mês anterior, tinha me reunido em Buenos Aires com Chiqui Tapia para ficarmos à disposição no que referia aos deslocamentos e à segurança. Ele me disse que esperava chegar quase classificado. Eu respondi que desejava chegar com boas chances; com muito respeito, eu lhe disse: "Pelo nível que temos, estamos de saco cheio".

Naquela noite de 10 de outubro, a Argentina se apresentou com Sergio Romero, Gabriel Mercado, Javier Mascherano, Nicolás Otamendi, Marco Acuña; Eduardo Salvio, Lucas Biglia, Enzo Pérez, Ángel Di María; Lionel Messi e Darío Benedetto. Em alguns momentos, estabeleciam o esquema de três meio-campistas, como a equipe técnica gostava. Um esquema que tinha gerado discórdia começando pelo capitão.

Um jogo épico

Além daquele detalhe técnico, a noite de 10 de outubro (mês dez) seria a noite do 10.

Antes dos acontecimentos, a incógnita a respeito do rendimento de Messi apontava para seus antecedentes em cidades que tinham muita altura. Depois de perder por 6x1 diante da Bolívia nos 3,6 mil metros acima do nível do mar da cidade de La Paz, em 2009, tinha declarado que "não é uma desculpa pelo resultado. mas acredito que não se pode jogar assim". Nos 2,8 mil metros de altura de Quito, nunca tinha conseguido se impor.

A equipe técnica da seleção tinha experiência no Equador por ter trabalhado com o clube Emelec, de Guayaquil. Naquela ocasião, Sebastián Beccacece, o técnico interino, argumenta que deveriam relativizar a cenografia:

> Antes de começar o jogo, a estratégia foi minimizar o que cada um sentia ao jogar a certa altura. Diante de situações extremas, não entra em campo a geografia, nem o clima, nem nada extra. Fizemos questão de destacar a estratégia futebolística: cobertura da largura do campo, jogadores pelo meio de campo com critério técnico, espaço para as arrancadas do Di María e poder de definição do Messi e de Benedetto.

Além da estratégia e de qualquer detalhe do quadro-negro, por cima de tudo isso a seleção jogava o jogo do ponto de vista psicológico, com o tal medo lógico, ainda que o ambiente do futebol negue esse condicionamento genuinamente humano. Nahuel Guzmán era mais que um goleiro reserva naquele elenco; estava lá para unir o grupo e tratar de levantá-lo se fosse necessário. Foi ele quem pediu para o repórter cordovês, Matías Barzola, que escrevesse e gravasse um texto para qualificar a longa prévia.

Guzmán também pediu licença ao corpo técnico para usar os alto-falantes do vestiário. Nessa intimidade de incertezas e ansiedade, Barzola falou aos verdadeiros protagonistas:

Quanta fraude medíocre daqueles que jamais calçaram uma chuteira. Quanta reclamação de bravura daqueles que têm medo da própria mulher. Quanta tagarelice daqueles que jamais escutam nada. Chega uma hora em que já não se trata da bandeira, nem do hino, nem do povo. Nem sequer da camisa, nem das famílias. Isto é por vocês. E o único compromisso é que, quando esta viagem termine, possam erguer a cabeça e não tenham a necessidade de abaixar o olhar.

Ninguém imagina as lágrimas no vestiário quando a capa dos jornais mostra a nossa cara. Quem sentiu a força dos abraços aquela vez que pudemos sorrir? Por que tantas pessoas se classificam e eles nunca se classificaram? Conhece a raiva por não poder participar de mil aniversários de 15 anos por estar naquela pensão pobre onde tínhamos que sustentar a fantasia? Tem noção de como é tentador sair com os amigos em vez de ficar aí porque tem que jogar no outro dia? Você também acreditou naquela conversa fiada de hotéis cinco estrelas? Nem quer acreditar como gostaria de um quintal como o seu e de andar descalço, fazendo um churrasco, somente de shorts e que os amigos do bairro venham comer e beber alguma coisa? Eu também joguei naquele terreno baldio na volta da esquina e as minhas partidas de futebol duravam até que a minha mãe dava um berro para que eu voltasse para casa porque já tinha anoitecido.

Hoje eu sei que nas suas mãos tem um doce ou uma faca afiada, ou para me agradecer ou para me assassinar. Por isso, quero abraçar este time. Por aqueles que estão agora, por aqueles que

Um jogo épico

já passaram e por aqueles que chegarão um dia. Hoje, se você ficar sem ar, eu vou estar aí, segurando-o com o meu alento; se um não chegar, chegaremos todos os demais. Se tiver sangue, que seja até o osso. Se de repente começar uma briga generalizada, vou pular e dar a cara por você. Se hoje é a sua vez de ganhar, vou dizer que confio em você, mas, se não for, digo que confio muito mais.

Viramos homens na marra. E conseguimos suportá-lo. Você e eu sabemos que isto não é pelo carro importado nem pela mansão ou casa de campo. Isto é pela honra. Como se fosse a primeira vez com a garotada da escola. Mas hoje com a camisa da nossa pátria. A Argentina não é o presidente, a cordilheira, o mar, o trigo, as vacas, aqueles que batem palmas e as hienas.

Hoje a Argentina somos nós. Todos os que estamos neste vestiário. Cada um de nós aqui. Ainda que muitos xingadores do Facebook acreditem que eles têm a verdade, estou convencido de que uma criança em Jujuy, no norte, um vovô na Patagônia, um menino de Cuyo, um trabalhador da Mesopotâmia, um cachorro magro em uma vila, um paisano de La Pampa ou um vizinho da casa onde você se criou — hoje todos acenderam velas por nós. Para que a fantasia seja uma realidade. Jogue hoje por vocês. Porque, se jogarem por vocês, vocês o farão por aqueles que confiam. Joga a seleção. Que seja o que Deus quiser. E, se Deus quiser, ganharemos todos!

Quase todos escutavam, alguns discursavam mais para tirar a tensão do que estimular; Messi trocava de roupa e só olhava.

Sampaoli também tinha preparado seu discurso prévio. Sempre dedicado a encontrar novas formas de tocar a alma dos jogadores, tinha se inspirado na capa daquele dia do jornal esportivo *Sport*, de

Barcelona, cujo titular dizia: "O futebol lhe deve uma Copa do Mundo", com a foto de Messi, por trás. Foi assim que iniciou sua fala ao jogo com a seguinte mensagem: "Vocês têm que levar o Leo até a Copa do Mundo. Se nas suas equipes vocês estraçalham, precisam estraçalhar aqui e que ele comemore por vocês". O futebol se encarregaria de dar um jeito nas hierarquias.

Assim que entrou em campo para o aquecimento, Messi escutou os gritos do público equatoriano e fez questão de retribuir o carinho com uma saudação para todo o estádio. Estando já em formação de frente a uma das arquibancadas, fixou o olhar deliberadamente para o chão na maior parte dos 80 segundos enquanto era tocado o hino nacional da Argentina. Em seguida, depois de ter começado o jogo, enquanto procurava seu espaço no campo, só conseguiu observar o que acontecia a 50 metros dele: o início das cenas de terror de um filme de suspense.

Aos 38 segundos, na segunda subida frontal do time local, Ordóñez ganhou uma bola vinda por cima e o ligeiro Romario Ibarra fez 1x0. Tudo saiu como o Equador tinha planejado. Como a Argentina nem sequer poderia ter imaginado. Romero sorria, surpreso. Mascherano tinha perdido o duelo individual e reclamou de um impedimento que praticamente não existia, porque ele tinha tocado a bola para trás. A bola ainda nem tinha passado perto de Messi, e a Argentina já perdia a partida que deveria ganhar para não assistir à Copa do Mundo pela televisão.

No outro continente, na madrugada da Inglaterra, Sergio Agüero não conseguia acreditar:

> Como esquecer... Eu estava muito mal, em Manchester, recuperando-me do acidente que tinha acontecido em um táxi na Holanda.

Um jogo épico

> Tinha certeza de que conseguiríamos passar, mas o gol dos equatorianos foi um pesadelo.

Nesse padecimento, naquilo que parecia um destino totalmente contrário, Biglia teve um sinal:

> Chiquito Romero jogou a bola para o meio do campo, Leo a pegou e nos disse "galera, vamos continuar como se não tivesse acontecido nada. Vamos virar o jogo". Não havia outra opção a não ser confiar nele. Já, antes do jogo, nós o tínhamos visto muito seguro, algo que não tinha acontecido nos jogos anteriores.

Marcelo D'Andrea, que integrava então a nona equipe técnica na vida junto à seleção principal, tem uma imagem similar:

> Pela manhã, ele tinha entrado no quarto para tomar chimarrão, como sempre fazia. "Como você está, baixinho?", perguntei. Sempre sou cuidadoso quando falo com os jogadores antes de um jogo; nós não jogamos, esta é a área deles. Mas vi que ele estava completamente relaxado. "Se ficarmos tranquilos, tudo vai dar certo", antecipou.

Beccacece pondera: "Leo tem o dom de liderança; aquele que pode resgatar você. É a voz que dá segurança".

Além de Messi, era muito difícil achar algum argentino que pudesse estar em paz no estádio Atahualpa. Na plateia, perto dos camarotes, tinha outro: Manuel Valdez. Tinha chegado a Quito junto com Claudio Gugnali e Julián Camino, ajudantes do ex-técnico da Argentina, Alejandro Sabella, que foram convidados pela AFA para aquela ocasião. "Gugnali e Camino me disseram que era preciso ajudar a seleção e ali fui eu. Para ajudar.

Sem cobrar nada obviamente", relembrou Valdez, que era nada mais nada menos conhecido como o bruxo Manuel, presente nos jogos do Estudiantes de La Plata, e sem que ninguém o pudesse ver, de vários outros times de futebol argentino.

Manuel, falecido em maio de 2021, não cobrava. Não o incomodava que o chamassem de "bruxo", ainda que se definisse como curandeiro. Tudo começou quando tinha 5 anos: "Tive uma visão de que traziam o meu pai morto em um caminhão e duas semanas depois aconteceu justamente aquilo"; garantia que, desde então, não parou de ver e sentir aquilo que os demais não podem ver. Reconhecia, no entanto, que não podia decidir a vida dos outros nem interferir contra o fator biológico:

> Ajudo. Em Quito fomos ao hotel onde a seleção estava concentrada e logo encontrei Chiqui Tapia, que acreditava. Eu disse a ele que íamos ganhar, que ficasse tranquilo. E me mandaram para o campo. Ainda faltavam algumas horas para o jogo começar. Percorri, fiz minhas orações. E fui ao vestiário. Limpei as camisas, tinha muita energia negativa. E também as chuteiras de alguns. As de Di María e as de Messi. Na América do Sul, muitos times têm seu bruxo. Obviamente o foco dos trabalhos são eles. Eu não trabalho contra alguém, mas a favor. Eu disse para o roupeiro que Messi ia fazer os gols dessa noite. Se isso acontecesse, que simplesmente me desse a camisa.

Lara volta ao jogo: "Se tivéssemos continuado com a mesma intensidade do começo, teríamos convertido rapidamente o segundo gol. Víamos que estavam perdidos em campo". A Argentina era o time que tantas vezes era visto de duas facetas. Atrás sofria. Mascherano, debaixo de cujos pés já tinha passado a bola dentro da área antes de chegar ao gol, falhava no deslocamento e nos passes. Contudo, tinha facilidades para chegar no ataque. Messi tomava todas as decisões corretas.

Um jogo épico

Então, aos 12 minutos, Leo recebeu pelas costas de Intriago e deu um toque para Di María quando saiu para marcar o meia Darío Aimar, que não continuou a jogada e o deixou livre na entrada da grande área; ao contrário de uma jogada anterior na que procurou Benedetto, dessa vez Di María voltou a tocar para o camisa 10. Em uma década de coincidências dos dois na seleção, houve muito menos jogadas que as que deveriam ter acontecido do mesmo jeito que esta; faz anos que Messi arma o jogo, sem deixar de ser o goleador, ou seja, pode começar e também finalizar o lance. Leo deu um golpe com a parte externa, do pé para impedir o quique antes de que a bola pudesse chegar ao goleiro, Máximo Banguera, e empatou o jogo.

Já se previa o segundo gol: a Argentina inspirava perigo, e Messi estava se mexendo com facilidade por detrás dos meio-campistas equatorianos.

> O jornal de segunda-feira diria que deveríamos ter marcado gradativamente. Apostamos em jogar mano a mano pelo meio, com Intriago indo para cima dele e outros dois meio-campistas por dentro, que saíam em busca de Biglia e de Enzo Pérez. Não tomamos as devidas providências — reconhece Lara.

O gol teria que ser de Leo, pois a responsabilidade não pesava tanto como nos demais. Aos 19 minutos, Di María fez um passe muito longo, mas Aimar travou sem muita força, Messi ganhou a bola e chutou na primeira trave, direcionado, mas antes de tudo com muita força. A celebração foi visceral; o grito saiu de dentro, uma libertação.

É semelhante o relato de Rodolfo De Paoli no TyC Sports: "Temos que saber aguentar a crise. Temos o melhor. O que estava pedindo todo o país. O país está gritando... Messi, Messi, Messi! Gênio, Gênio, Gênio! Que viva o futebol!".

Ainda que a Argentina tenha perdido o controle da bola com a vantagem e aos 40 minutos tenha entrado em campo Enner Valencia, o melhor atacante equatoriano, no lugar do meio-campista José Cevallos, os argentinos não sofreram mais do que algumas bolas cruzadas no restante do primeiro tempo.

O começo do segundo tempo mostrou a seleção mais retraída, à espera de um contra-ataque. O Equador não gerou nenhum perigo:

> Além de aquela noite ser do Leo, a equipe mostrou organização defensiva, conteve um rival que atacava com os laterais em profundidade e extremos em velocidade, além da vontade de jogar. Depois do 0x1 lembro-me apenas de que Biglia e Enzo Pérez se animaram a trocar passes. Messi foi a estrela coletiva que é, e os companheiros lhe deram apoio coletivo — afirma Beccacece.

Aos 16 minutos, depois de ter perdido as duas únicas bolas de todo o encontro, dominou com o peito uma bola antecipada por Otamendi em cima do Valencia e a freou. Esperou que Benedetto passasse por trás e avançou pela esquerda. O campo do Atahualpa fazia que a bola quicasse de forma imprevista em cada lance. Depois de se elevar uns centímetros e cair, porque Robert Arboleda o tinha empurrado, Leo chutou por cima de Banguera: 3x1, jogo definido além do que era preciso e classificação garantida. Os primeiros a abraçá-lo foram Éver Banega, um de seus amigos jogadores, e Lionel Scaloni, ponte entre a equipe técnica e a equipe: ninguém teria apostado nem sequer pensado na possibilidade de ele se tornar treinador da seleção menos de um ano depois.

Um jogo épico

Messi participou em poucas ocasiões nos trinta e três minutos restantes: o dano tinha sido feito.

> No segundo tempo, quase não tocou na boa, e ainda assim definiu o jogo. Deu gosto vê-lo perto do campo: suas sutilezas, suas arrancadas, até mesmo suas caminhadas, com as quais não se cansa antes de entrar em cena. Ganhou Messi, não o jogo coletivo — conclui Patricio Lara.

Os equatorianos nunca gostaram muito da gente — afirma com certeza Luis Juez. — E para piorar nesse momento estavam tensas as relações entre os governos. Contudo, Messi foi o divisor de águas. Faltando cinco minutos, os equatorianos o aplaudiram de forma unânime.

Possivelmente tenha sido o menos eufórico naquele fim de jogo. Possivelmente também foi o que mais tornou natural o que havia acontecido.

Na arquibancada de frente para o gol, que se converteria no terceiro chute, havia argentinos que tinham vindo para o jogo, residentes no Equador e alguns venezuelanos que viviam em Quito. Um desses últimos se chama Daniel Valero, de 33 anos: "Messi se transformou. Colocou o time nos ombros. Ainda bem, precisávamos da vitória". Sim, "precisávamos": muitos venezuelanos têm o costume de torcer pela Argentina. "No meu bairro em Barinas, a cidade onde eu nasci, somos torcedores do Boca Juniors, da Argentina, do Maradona e do Messi."

Daniel comprou seu ingresso na Embaixada da Argentina em Quito. "Primeiro me pediram o passaporte argentino. Quando entenderam que eu era venezuelano, mas que queria assistir ao jogo entre seus conterrâneos, fizeram uma exceção. O tíquete me custou 40 dólares."

MESSI — O GÊNIO COMPLETO

Ninguém poderia imaginar que, colocando na balança, também seria favorecido economicamente.

O jogo finalizou com um escanteio em uma jogada de Messi e Leandro Paredes, que tinha entrado minutos antes. Até ali foram todos os companheiros do camisa 10 para abraçá-lo e comemorar. Mais que uma comemoração, a julgar pelas lágrimas de Biglia e Enzo Pérez, soltaram um grande peso. Ficaram perto da torcida, até onde se dirigiram para promover uma ação poucas vezes vista na história da seleção: atiraram suas camisas para as arquibancadas. A de Messi terminou nas mãos de Daniel Valero.

Dias depois, Valero mostrou a camisa no programa Parques e Viagens, um canal do YouTube, e contou seu propósito: "Gostaria de fazer um leilão para arrecadar dinheiro. Gostaria de ajudar crianças com problemas de nutrição no Equador e na Venezuela". O leilão não prosperou. Contudo, Sergio Cazes, argentino encarregado do citado canal, tinha ficado junto a Valero na arquibancada e conseguiu quem comprasse a camiseta.

Ainda no Equador, com o plano de desembarcar na Argentina em pouco tempo, Daniel Valero cumprimentou por WhatsApp com uma foto de Diego Maradona, demonstrando seu amor pelo futebol deste lado do continente:

> Primeiro queria ficar com a camiseta, mas a recessão trouxe problemas econômicos a todos. Não conseguimos fazer o leilão, tinha pensado conseguir uns 10 mil dólares. Por sorte, apareceu alguém que quis comprá-la. Me deram quase 3 mil dólares. Consegui comprar um carro, pagar a operação que realizaram na minha prima que tinha cistos nos ovários e ajudar os meus pais.

A camisa tinha seu valor. Messi tinha mostrado o que as pessoas idealizam a respeito dele. Se cada fim de semana a pergunta que surge,

180 • • • •

Um jogo épico

diante da notícia de uma vitória sua no Barcelona ou no time em que estivesse, é quantos gols ele fez, naquela noite em Quito comprovou que parece normal que seus gols se convertam em quantidade. Além disso, ele o tinha feito em um jogo crucial.

Até julho de 2021, foram 54 ocasiões (48 no Barcelona e 6 na seleção) nas quais converteu mais de duas tentativas em uma partida. Foi assim desde pequeno: em 1995, antes de uma final com a categoria 87 do Newell's, ficou trancado em um banheiro e teve que sair pela janela; conseguiu jogar a final; no caso de ganharem, haviam-lhe prometido uma bicicleta. Fez três gols e ganharam. Juan Villoro escreveu algum tempo depois: "Quando uma criança quer uma bicicleta, é capaz de muitas coisas. Quando um homem joga como uma criança que quer uma bicicleta, é o melhor futebolista do mundo".

Em Quito, superou suas marcas anteriores com a seleção. Fez o que fez em um jogo agitado, não em um amistoso como aquele de 2012 contra o Brasil. Gerou a mesma surpresa que normalmente gerava nos tranquilos treinos, como, por exemplo, quando tivemos este diálogo entre Ezequiel Scher, chefe de imprensa de Sampaoli, e Juan Cruz Souto, um dos roupeiros da seleção:

— *Já fez três cobranças de falta seguidas e bateu no travessão. Hoje não está afinado...*
— *Sim, Zequi. Está afinado. Esse gol tem 10 centímetros a menos.*

Antes de voltar para o vestiário do estádio Atahualpa, Messi abraçou Claudio Tapia. Era uma sala de espera lotada de pessoas inéditas perto da seleção. Era possível ver Daniel Angelici, presidente do Boca Juniors e vice da AFA:

> Foi a única viagem que fiz. Nenhum outro dirigente queria ir.
> Não tinham vontade de ser o rosto de uma possível derrota. Posso
> lembrar da quantidade de pessoas mais chegadas que estavam lá.
> No ônibus havia pessoas de pé.

Manuel Valdez, o bruxo Manuel, quis entrar: "Vim simplesmente para acompanhar os demais. Mas não me deixaram entrar; disseram que a ordem fora dada pelo líder da seleção. Não foi nem o presidente, nem o técnico: Mascherano".

"Foi um vestiário de descarga de adrenalina. Todos sentíamos a responsabilidade de cumprir com a necessidade alheia", descreve Sebastián Beccacece. Naquele momento, surgiu entre os protagonistas e mais próximos a canção que se tornaria viral:

Tem que encorajar a seleção, oh, oh.
Tem que encorajar até a morte.
Porque a Argentina eu a amo,
porque é um sentimento,
que levo no coração.
Não importa o que digam
esses putos jornalistas:
a puta que os pariu.

Até que alguém mudou o eixo. Comenta Luis Juez, que participou daquele momento privado:

> Messi foi quem falou. Eu não o imaginava com atitudes de líder,
> e aquela vez demostrou ser claramente. Não somente no campo
> pôs o time nos ombros; no vestiário, disse a todos que era o momento
> de dar um clique. "Já estamos na Copa do Mundo, temos que
> deixar para trás tudo o que aconteceu e evitar novos problemas".

Um jogo épico

Era uma medida estranhamente generalizadora, os jogadores da seleção levaram onze meses sem falar com a imprensa, por causa do desgosto que tinha provocado um boato espalhado por Gabriel Anello, locutor da Rádio Mitre. Com a classificação na mão, o goleador da noite em Quito quebrou o silêncio midiático e declarou:

> Estávamos traumatizados antes de jogar. Para piorar, era a uma altura superior à que estamos acostumados... Merecíamos ganhar as três finais e não ganhamos nenhuma, e agora sofremos para entrar na Copa do Mundo. Pronto. Agora o time vai se fortalecer.

Com a classificação, segundo Messi, a seleção se fortaleceria. Acharia uma forma de jogo confiável e estável. Voltariam as boas sensações. Era como imaginava. Na realidade, talvez este fosse simplesmente seu desejo.

Capítulo 10

UM PÊNALTI QUE NÃO ENTROU

10

FERNANDO SIGNORINI RELEMBRA UM momento crucial. Um instante que, ao longo do tempo, voltaria a se repetir. Os jogadores realizavam exercícios prévios ao jogo contra a Alemanha nas quartas de final da Copa do Mundo de 2010, e Signorini, como preparador físico, tinha o costume de deixar que os jogadores fizessem movimentos por sua conta; viu o que os outros poderiam pensar em diferentes cenários. Lionel Messi não corria nem se movia; minutos antes de jogar, enquanto seus companheiros liberavam as tensões da alta intensidade, ele simplesmente andava. Caminhava, mas não conseguia relaxar.

No meio do estádio da Cidade do Cabo, Signorini foi até ele, juntou a fronte com a de Leo e disse:

> Hoje somente exigimos que você dê aquilo que puder. Tente aproveitar. Pense nas quatro ou cinco pessoas que merecem que você pense nelas. A sua Copa é a próxima. Aquele ali também passou por uns maus bocados para se provar em uma Copa do Mundo quando tinha a sua idade. Hoje simplesmente aproveite.

Maradona tinha jogado no Sevilla, da Espanha, em 1982, com 21 anos; Messi completou 23 durante a Copa do Mundo na África do Sul. Lógico, para a previsão de Signorini se atravessou Mario Götze, o autor do gol da Alemanha na final de 2014, a Copa do Mundo que parecia ser a de Leo. Sem títulos, até então, em sua trajetória da seleção — além da Copa do Mundo Sub-20, em 2005, e os Jogos Olímpicos de Beijing, em 2008 — a Rússia 2018 se transformou, ao longo dos anos, em sua nova obsessão.

MESSI — O GÊNIO COMPLETO

Os números explicam parcialmente um jogador de futebol, embora quando atingem o absoluto, de alguma maneira o definam. Ficar com somente com eles é privar-se de assistir ao jogo. Ainda assim, servem como se fossem um atalho.

Messi chegou à Rússia depois de ter liderado, na temporada da liga espanhola, os *rankings* nas seguintes categorias: gols, gols de falta, assistências, chutes a gol, tentativas de dribles, dribles feitos. Também tinha sido, com 45 tentativas em 54 jogos, o ganhador da quinta Chuteira de Ouro de sua carreira, o reconhecimento ao maior goleador dos principais campeonatos do mundo. Como se fosse pouco, chegou mais ou menos descansado: eliminado com o Barcelona nas quartas de final da Champions League e campeão do torneio espanhol um mês antes da final, não participou dos dois últimos jogos até que o treinador de seu time, Ernesto Valverde, percebesse aquela obsessão e não queria sujeitá-lo a nenhum risco desnecessário ou desgastá-lo.

No entanto, já nos momentos anteriores da Copa do Mundo, a seleção voltou a lembrar Messi que nada é como parece. Que não se alcança nada somente com o desejo. Que definitivamente o futebol se encarrega de organizar os méritos: neste esporte coletivo, além da genialidade pontual, o caos não só faz seu próprio trabalho, mas também parece que atrai a má sorte. A despedida no estádio do clube argentino Huracán, que lhe demonstrou o amor que ele desencadeia nas crianças e o carinho popular em geral, gerado nos últimos anos, tinha ficado como uma história solitária. O restante eram motivos para se preocupar.

A relação entre os integrantes da equipe técnica tinha data de vencimento e somente faltava chegar o dia. A lesão nos ligamentos de Manuel Lanzini não apenas deixou a equipe com uma peça a menos, e que prometia bom rendimento, mas também aumentou as dúvidas

Um pênalti que não entrou

sobre a formação do time. A raiva dos palestinos por causa de um amistoso que a Argentina ia jogar contra Israel em Jerusalém trouxe inquietude aos familiares dos jogadores. O cancelamento do amistoso impediu que a equipe jogasse pelo menos um jogo preparatório nas semanas que antecediam a Copa do Mundo. A ideia generalizada era que a Argentina dependia exclusivamente de seu camisa 10, que, para piorar, era visto preocupado pelos que o conheciam na intimidade; ao que tudo indicava, por questões pessoais.

No sábado 16 de julho, essa somatória de elementos possivelmente o tenha condicionado ao momento de ficar cara a cara com Hannes Halldórsson, goleiro da Islândia. Bater pênaltis é uma das áreas nas quais Messi é bom, mas não é perfeito. Até aquele dia contava com 94 pênaltis batidos em jogos oficiais em sua carreira, tinha falhado em 21, dos quais somente um tinha acontecido na seleção: justamente aquele da definição da final da Copa América de 2016. (Até julho de 2021, no total levava em sua conta 94 gols feitos e 26 falhas.)

Se fizesse aquele pênalti, mudaria tudo — quase um ano depois reconheceu Leo, em uma entrevista com Sebastián Vignolo na *Fox Sports*. Ele o chutou sem convicção, a meia altura, exatamente em direção ao voo de Halldórsson em sua direita. Mesmo que a Argentina, ainda sem brilho, completasse 16 chutes a gol nesse segundo tempo contra nenhum da Islândia, não conseguiu romper aquele 1x1.

"É uma das melhores lembranças da minha vida. Foi o primeiro jogo que a Islândia jogou em uma Copa do Mundo e desde o sorteio a ideia de jogar contra a Argentina e Messi era emocionante", conta Halldórsson em seu país natal.

> Sabíamos que tínhamos uma equipe boa e que, se tivéssemos sorte, poderíamos fazer um jogo competitivo com qualquer um. Mas também sabíamos que a Argentina teria muita posse de bola e que tentaria chegar ao gol muitas vezes; por isso, precisaríamos de sorte, mas também de uma defesa quase perfeita para obter um bom placar.

A Islândia tinha saído para procurar seu objetivo: o empate. Enquanto estava em 0x0, conseguiu neutralizar a Argentina, que de todas as maneiras ficou em vantagem graças a uma boa resolução de Sergio Agüero. "Possivelmente tenha sido o melhor que fiz para a seleção. Foi lindo. E o meu nome tinha ficado de fora na convocação das Copas anteriores. É uma pena que tenha acontecido tudo isso", resume o Kun.

Escrevi no *El Mundial es Historias* [A Copa do Mundo é história], a respeito do dia da Copa:

> O que foi que aconteceu quando Messi ficou diante do gol para chutar o pênalti? Será que deixou todos nós preocupados com a possibilidade de que falharia mais do que nos entusiasmou com a chance de que o acertasse? E por que, então, odiamos que o critiquem se já estamos todos do seu lado? Ou aquilo que nos produz dor é saber que, às vezes, merece a crítica? Em que época ficou o jornalismo estrangeiro quando afirma com total convicção que Messi é amado em todos os cantos exceto em seu país, se todos o amamos? E se o amamos por que vamos criticá-lo? Todos nós gostamos dele? Como é possível alguém não gostar dele?[1]

O jornal esportivo espanhol *Marca* tinha dado um título antes do jogo: "Islândia encomenda um diretor de cinema para frear o Messi".

---

[1] Disponível em: <http://www.cronicasdeayer.com/wp-content/uploads/2018/07/El-Mundial-es-Historias.pdf>. Acesso em: 6 dez. 2021.

Um pênalti que não entrou

Halldórsson levava cinco anos na área do futebol profissional e "uma vida inteira" como diretor de cinema. Um ano depois da Copa do Mundo, aparece nas redes sociais mais perto das câmeras que do gol. Ao telefone, ele brinca com a ideia de "aquele jogo daria um bom curta-metragem". Conta que tinha planejado o que fazer no caso de acontecer um pênalti:

> Antes do jogo, já tinha decidido como enfrentaria o Messi. Aquilo que pensei, depois acabei fazendo. Tratei de esperar tanto quanto pude e depois pulei para um lado. Tive sorte, a execução não foi perfeita, mas não foi tão ruim. Foi uma defesa difícil.

A respeito do baixo nível coletivo da seleção argentina, o jornalista espanhol José Sámano escreveu no dia seguinte no espanhol *El País*: "Não se pode ter um Velázquez pendurado do lado do exaustor da cozinha. Por muito bom que seja".[2] No entanto, Messi se mostrou longe de sua melhor *performance*.

Ele se afundou emocionalmente. Chorou no vestiário, como naquela expulsão em seus anos iniciais dentro da seleção, na eliminação em África do Sul, na final perdida no Brasil e naquele outro pênalti errado nos Estados Unidos.

> Outra vez as lágrimas de dor; quase uma década e meia depois de seu batismo na seleção principal, por que demoraram tanto em chegar as lágrimas de emoção?

Seus companheiros praticamente não o viram depois que voltaram para a concentração, ainda em Moscou, até que viajaram para Nijni Novgorod para o encontro contra a Croácia. Ele somente apareceu

---

[2] Provável referência ao consagrado pintor sevilhano Diego Velázquez (1599-1660). [N. do T.]

nos treinamentos. O jornalista Martín Arévalo sabia que ele "ia sozinho a um cais de frente a uma lagoa atrás daquele prédio".

Poucos entendiam o que acontecia; apenas os que verdadeiramente o conheciam, como Lucas Biglia:

> Ele se trancou no quarto. Já tínhamos visto isso acontecer na noite da final contra a Alemanha. Para piorar, tinha falhado no pênalti do mesmo jeito que havia feito contra o Chile nos Estados Unidos. Tentávamos fazê-lo entender que ele poderia errar. Mas ele repetia que era essencial começar com uma vitória. Os mais próximos entravam no quarto dele para tentar tirá-lo daquele estado. Assistíamos a uma série, a um filme. O Kun fazia o mesmo. De todo jeito era difícil distraí-lo.

Agüero se transformaria em uma peça-chave não como parceiro dentro do jogo, mas como companheiro fora do campo:

> Temos que respeitar o tempo de cada um. Eu também fico para baixo em determinadas ocasiões. Mas sabemos como é o futebol. E que estas coisas acontecem e podem suceder com qualquer um. Maradona errou pênaltis importantes, Platini também. Por que não pode acontecer com o Messi? Eu trato de acompanhá-lo. Leo e a qualquer um. Como faz tempo que nos conhecemos, somos amigos. Sabemos quando dizer algo para produzir um efeito de catarse ou quando falar de outro tema.

A equipe incluía a velha guarda de sempre: Messi, Javier Mascherano, Éver Banega, Biglia, Ángel Di María, Agüero, Gonzalo Higuaín e três que tinham sido incluídos nos últimos anos, Nahuel Gúzman, Nicolás Otamendi e Gabriel Mercado. Também tinha uma renovação de segunda linha, incluindo jogadores na faixa dos 30 anos. Um deles, Wilfredo Caballero, guardava uma lembrança:

Um pênalti que não entrou

Jogando para o Manchester City da Inglaterra contra o Barcelona pela Champions League de 2015, eu estava no banco de reservas. Ganharam de 2x0 na Inglaterra, e ele errou um pênalti que, se tivesse acertado, seria o terceiro gol. Não só o pênalti, mas também errou o rebote. Soubemos no vestiário que ele se cobriu com uma toalha e começou a chorar. Com certeza, naquele dia teria lembrado de outro que também falhou, quando, em 2012, ficaram de fora contra o Chelsea pela Champions League. Evidentemente ele sofre muito quando erra. Por isso, também é o melhor: porque se exige. Dois meses antes da Copa do Mundo, estava bravo porque não conseguiria jogar os amistosos contra a Itália, em Manchester, e contra a Espanha, em Madrid. Sentia-se mal por estar ausente; para piorar, estava contundido!

Até mesmo para um jogador de experiência pode se tornar uma barreira a presença de Messi. Caballero aceita:

Todos queremos saber como ele é antes de conhecê-lo. Para mim particularmente tinham dito que ele era bastante tímido, que falava pouco. Com isso, eu tinha montado uma imagem diferente: eu o vi insinuando a liderança que com o tempo outros perceberam. Possivelmente precise que puxem conversa com ele. Não é muito aberto para tomar a iniciativa. Mas aquele que fala com ele fica com uma impressão agradável. O que acontece é que custa se aproximar por medo de ser rejeitado. Pelo que representa. Depois da Islândia, o Patón Guzmán [apelido de Nahuel Guzmán] arrumou uma reunião com todos os jogadores. Queria que falássemos a respeito do que tínhamos achado do jogo, de como estava cada um e também de que Leo não sentisse que tudo era responsabilidade dele.

Gabriel Milito o imaginava de longe, assistindo à Copa do Mundo pela televisão:

Leo é tão competitivo que não se permite nem uma partida discreta. No jogo final da Liga da Espanha que ganhamos com o

> Barcelona, no intervalo estava desanimado porque as coisas não tinham saído bem. "Você tem que aproveitar o momento, você é o grande responsável pelo título", disse a ele. Saiu do vestiário e, no segundo tempo, fez dois gols. Não posso acreditar que ex-jogadores e também treinadores tenham falado nestes anos todos que tanto faz ganhar ou perder na seleção.

Sebastián Beccacece faz uma viagem interior:

> Deve ter se perguntado inúmeras vezes por que chutou do jeito que chutou. E não somente o deixaria angustiado aquilo que aconteceu, o real, mas também o que poderia chegar a acontecer, o irreal: E se perdemos contra a Croácia? Podemos ficar fora na primeira etapa? Teria uma luta contra a sua própria mente.

Biglia concorda com Milito: "Leo não se permite errar". Ambos conhecem a repercussão desse estado emocional no campo. "Sempre ficou irritado quando as coisas não funcionaram como desejava", acrescenta. "Temos que tentar que toque a bola, que não se desligue", opina o meio-campista.

Não deu outra: ele se desligou no jogo seguinte; naquele categórico 0x3 perante a Croácia, na quinta-feira de 23 de junho. Em nenhum momento se afastou da frustração que tinha sentido nos dias anteriores. Já no momento de cantar o hino, o primeiro plano da câmera da transmissão oficial mostrou-o agoniado esfregando o rosto com os olhos fechados. Não chutou em direção ao gol nos 90 minutos e deu 5 passes a menos que Caballero, o goleiro.

> Participou do jogo menos do que ficou olhando para o chão, esse sinal inequívoco de que a mente o tinha superado; ou melhor, de que perdera contra sua própria mente. Doía reconhecer:

Um pênalti que não entrou

provavelmente tenha sido o pior jogo com a camisa da seleção argentina. Depois de esperar tanto por aquela Copa do Mundo, de ter se focado durante meses, não queria estar ali.

Essa tarde em Nizhny devolveu imagens que pareciam esquecidas de Messi, parecidas com aquelas de seus primeiros momentos no futebol. Aquelas que, logicamente preocupavam menos: obviamente é normal a distração infantil. Ninguém assistiu a tantos jogos de Leo no campo como Jorge, seu pai. Ninguém o escutou de tão pequeno como ele. Ninguém teve tanto êxito na tentativa de devolvê-lo à cena.

Jorge raramente era ouvido ou lido. Um livro sobre seu filho nos permite uma exceção:

> Sempre assisti aos jogos sozinho; até hoje continuo fazendo o mesmo. Tento me sentar longe dos demais. Na época do juvenil do Barcelona, às vezes ele se ausentava do que estava acontecendo. Ele se desligava. E eu tentava fazer que olhasse para mim. Fazia sinais, tentava ativá-lo, dizia para ele se mexer. Ele chacoalhava o braço e respondia que não enchesse o saco. Ainda assim, se ativava e fazia maravilhas com a bola.

A ingenuidade do começo se contrapõe com as obrigações da vida adulta:

> Hoje o entendo mais — diz Jorge, sempre de perto. — Se não toca a bola, se perde. Há momentos nos quais faz sinais como um doido para que a passem para ele. E fica frustrado quando não a recebe ou quando não estão jogando como ele acredita que tem que jogar. Não é porque seja meu filho, mas Leo entende o futebol melhor que todos. E acredite, não gosta de criticar ninguém. Depois de um jogo, se alguém critica um companheiro, o único que pode chegar a escutar dele é um "enfim, fazer o quê".

A Argentina não jogava como Messi acreditava. Muito menos fazia do jeito que teriam imaginado com a chegada de Sampaoli como técnico. Pablo Zabaleta estava em um dos camarotes: "Fui até a Copa do Mundo para comentar pela BBC. Foi muito difícil analisar esse jogo contra a Croácia. Tudo deu errado. Eu não conseguia emitir uma palavra a respeito. Na verdade, não queria dizer nada".

No dia seguinte, a vitória da Nigéria contra a Islândia mudou o panorama numérico e, como consequência, também o emocional: a Argentina praticamente dependia da vitória contra os africanos para se classificar e passar para as oitavas de final como segunda do grupo. No recente cenário, os jogadores (outra vez, os mais experientes, pois nas decisões desse calibre não é todo mundo que tem voto) pediram que a equipe técnica os ouvisse. Sim, solicitaram uma reunião ao treinador e a seus ajudantes.

Quanto ao peso dos relacionados, pelo menos para alguns dirigentes da AFA sempre havia dúvidas se a última palavra normalmente era do Mascherano ou de Messi. "Pensávamos alguma coisa, consultávamos Javier, e ele nos dizia que falaria com Leo. Nunca ficamos sabendo se depois ele falava ou não", relatou uma fonte. Mascherano explica: "Geralmente a gente se complementava bem. Eu gostava de lhe evitar problemas. Um exemplo, as entradas que recebíamos: Por acaso, o Messi tinha que se encarregar disso?".

Por outro lado, muitas vezes sua figura foi utilizada por pessoas que nem sequer faziam parte de seu círculo. "Cuidado que o Leo não gosta disso", "O camisa 10 quer outra coisa" ou outras frases desse estilo foram argumentos habituais para impor desejos ou necessidades daqueles que as falavam, não do protagonista. Messi conhece o peso que pode ter sua opinião. Talvez por isso seja de seu interesse revelá-la em poucos assuntos.

Um pênalti que não entrou

Mariano Andújar conviveu com ele durante anos: "Não tenho dúvidas de que é exagerado o que se acredita sobre sua suposta interferência. Em geral, isso acontece porque não perguntaram a ele se é assim".

Daniel Angelici, presidente do Boca Juniors durante dois períodos e vice da AFA no último, está convencido:

> Ninguém tem coragem para encará-lo. Eu comprovei num dia em que precisava que ele assinasse uma camisa para um amigo. Três pessoas me disseram que não queriam pedir para ele, porque não ia gostar. Ou que esperassem algumas horas para lhe perguntar. Logo depois, eu o vi e não só não teve problemas como também propôs que o meu amigo fosse visitá-lo.

Se bem que o tom daquela reunião foi se diluindo, o conteúdo inicial parecia um vulcão. Estavam presentes os 23 jogadores, Jorge Sampaoli, seus ajudantes, Beccacece e Lionel Scaloni, além do presidente da AFA, Claudio Tapia, que confirmou seu lado "futebolista".

O time expôs uma longa lista de queixas: as permanentes substituições nas escalações, as brigas entre eles, os nervos do lado do campo. "Queremos ter opinião em tudo", foi o primeiro pedido a Sampaoli, a quem logo se dirigiu especialmente Messi: "Esta tinha que ser a nossa Copa do Mundo e nós estamos desperdiçando".

Leo considerava que tinha se preparado melhor que para qualquer outra competição da seleção. E os problemas internos estavam se impondo sobre tudo.

A equipe técnica ficou dividida. Desde a ideia de pedir a renúncia naquela hora até fazer de conta que não tinha acontecido nada, o treinador apelou para ouvir exclusivamente o camisa 10. Contou seus planos de escalação do time e esperou sua aprovação. "Você é o técnico, você é quem põe e quem tira", respondeu-lhe de maneira sucinta.

Possivelmente em alguns anos, Leo se arrependa de ter ficado no meio de tudo. De não ter sido quem marcou a convocação e até as inclusões de jogadores, como muitos argumentaram como certo sem ter muitos fundamentos para que se instalasse essa ideia. Talvez se arrependa de não se sentir à vontade depois das decisões que ele não entendia. Nem intervencionista nem conformista. Os técnicos, aliás, aprenderam a interpretar seus gestos mais do que a esperar suas palavras.

No âmbito particular, Messi tinha elogiado a contratação de Sampaoli. Sampaoli tinha desenhado uma seleção sem Javier Mascherano; entretanto, em sua primeira reunião com o camisa 10 para contar-lhe sua ideia de jogo, percebeu que ele o incluía com naturalidade e descartou sua intenção. Em seguida, os jogadores aproveitavam as perguntas dos jornalistas a respeito de Gonzalo Higuaín para promover seu retorno, e até Tapia declarou publicamente a favor de sua volta. Ao treinador, que no começo não o queria, praticamente não sobrou outra opção senão convocá-lo.

Já estando na Rússia, quando parecia que apostava em Giovani Lo Celso, Sampaoli optou pelo que via que era melhor para Messi: seus conhecidos de sempre. Lo Celso, que baixou de nível nos treinamentos à medida que se aproximava a Copa do Mundo, passou de possível revelação a não ser lembrado nem sequer para as substituições durante as partidas. Foi assim que surgiu uma versão que as fontes consideram fora de questão: um suposto ressentimento entre Messi e Lo Celso que teria nascido de uma discussão pelas equipes das quais são torcedores, Newell's Old Boys e Rosário Central.

Na coletiva de apresentação, em 1º. de junho de 2017, Sampaoli tinha declarado: "Queremos que venha Leo, não Messi; a versão mais genuína

Um pênalti que não entrou

e prazerosa do melhor jogador do mundo, e que seja feliz". Em uma entrevista para o jornal esportivo *Marca*, no dia 9 de outubro de 2018, uma das escassas oportunidades nas que fez referência a seu tempo na seleção, lembrou: "Leo sofria como ninguém a impossibilidade de ser".

Naquela reportagem também reconheceu: "Procurei de todo jeito envolver o grupo, para tirar deles aquele peso de ansiedade de não ganhar, que os impedia de se desenvolverem". Não o conseguiu. Quem sabe fique de consolo o pedido de desculpas de Messi, após a vitória contra a Nigéria, pelo tom com o qual tinha se dirigido a ele na reunião.

Com Beccacece o mal-estar tinha se originado em um tema inusitado: o esquema tático. Com a ideia de jogar com três marcadores centrais, os jogadores mostraram sua desconformidade em uma viagem de ônibus, recriando estribilho da canção *Felices los quatro*, de Maluma: "Vamos ser feliz, vamos ser feliz, com a linha de quatro". O camisa 10, em especial, chegou a dizer: "Temos que ser práticos. Para o sistema com três centrais e laterais precisamos de tempo de treinamento".

Messi chutou a bola longe em um dos treinamentos antes dos jogos pelas eliminatórias, incomodado com o que via e que gerava a armação (e as variações) do time. Contudo, Beccacece afirma que o relacionamento continuou bom:

> Os nossos irmãos jogaram bola juntos no Club Atlético Central Córdoba, de Rosário. Ainda me lembro quando o meu irmão disse que um companheiro iria morar em Barcelona contando com a sorte. Depois da fala de apresentação com o grupo, eu contei a ele. Naquele dia, observei sua atenção nas conversas. Quando lhe dizem algo profundo e que pode ser de seu interesse, ele presta atenção. Além disso, sempre o tratei como um da equipe, como acredito que ele gosta de ser tratado. Não tenho certeza, mas, na minha opinião, esse tipo de pessoa não tem interesse em

> ouvir o que já sabe que é. Em dado momento, estabeleceu-se um certo distanciamento que, da minha parte, nunca tinha existido. E pude comprovar depois do amistoso contra a Espanha que não tinha nada a ver.

Com Scaloni, por último, a relação era bem mais próxima: basicamente porque uma de suas funções era a de promover laços com os jogadores e até, em certo caso, mudar o semblante especialmente dos jogadores que eram uma referência. A sensação geral foi que, ainda sem saber que teria chances de ser o técnico seguinte da seleção principal, se mostrou do lado dos jogadores naquela famosa reunião. Sua participação nas indicações táticas era pequena, ainda que muitos acreditassem que foi sua a ideia de que Messi jogasse de falso 9 nas oitavas de final contra a França, no dia da eliminação. O teste, como poderíamos esperar, foi negativo; ainda que nunca tivesse perdido sua condição de goleador, Leo já levava anos buscando posição perto dos meio-campistas para criar o jogo.

> Depois da angustiante classificação contra a Nigéria, a Argentina saiu para jogar a primeira partida de eliminação direta, nada menos que contra a França, a seleção que se sagraria campeã mundial; fez isso com um time que nem sequer tinha treinado junto.

Por essa mesma razão é surpreendente que os jogadores não tenham querido se manifestar que possivelmente convinha continuar com os esquemas básicos. Com certeza, tenham acreditado que, depois da classificação angustiante, os ventos favoráveis ordenariam o caos. Que somente bastaria que entrassem em campo com sua reconhecida hierarquia. Ou, como sugeriu Biglia, provavelmente não tenham querido flertar outra vez com o escândalo:

Um pênalti que não entrou

> No mesmo dia da vitória contra a Nigéria, Jorge Sampaoli disse o que desejava fazer contra a França: tirar a vantagem dos meio-campistas, ganhar o meio e ter velocidade pelas laterais. Depois, assistimos ao jogo em que a Austrália tinha atuado desse mesmo jeito e que tinha dado a França bastante trabalho. Os australianos tinham um armador e dois pontas que se mexiam de fora para dentro, muito parecido com aquilo que tinha apresentado Jorge com Leo pelo centro, acrescentando Pavón e Di María pelas laterais. Fora isso, não queríamos gerar mais repercussão. Porque, aliás, tinham vazado mensagens até mesmo de dentro da concentração falando que tudo estava estragado.

Outra vez, o arquivo daquele livro digital, com a assinatura de quem redige este livro:

> Por que acreditamos? Por Messi. Mas às vezes confiamos nele mais do que ele mesmo. E não dá para acreditar somente em uma pessoa, menos em um futebol que desde muito tempo pende para o coletivo. [...] Quinze formações em 15 jogos do ciclo Sampaoli. Dúzias de mudanças, incluindo no encontro contra a França, que deixou no banco de reservas Gonzalo Higuaín e Sergio Agüero, e pôs Messi como falso 9, tão falso que faz anos que não jogava assim.

Um ano depois da Copa do Mundo, Messi usou o recurso dos velhos códigos do vestiário para não remexer no passado: "Aprendi que as coisas do grupo ficam ali. Aconteceram situações atípicas em se tratando de uma Copa do Mundo, mas não vou falar mais que isso". Nesse dia também refletiu sobre a situação: "A realidade é que não chegamos como candidatos ao título. Tinha acontecido de tudo um pouco". Todos estavam de acordo quanto a este ponto: as análises prévias tinham sido autodestrutivas.

Javier Mascherano sintetiza com um realismo poucas vezes escutado ou lido:

Durante a Copa, continuamos com a dinâmica com a qual chegamos à competição. O que começa mal é difícil de ser revertido. Nós, argentinos, temos o costume de nos agarrar em um fato isolado para acreditar que podemos. E o futebol hoje nos expõe. As seleções ganham quando projetam. A França teve que engolir o veneno de não poder coroar-se na Eurocopa em seu país para se armar melhor e ser campeã do mundo. Nós tentamos dissimular. Falávamos: "Temos o Messi, vamos que a gente pode". Ganhamos da Nigéria, passamos para as oitavas e depois acreditamos que ninguém poderia nos deter. E a França nos deteve. Claro.

Sem Messi, não se podia. Com Messi, não era suficiente.

Capítulo 11

CRONOLOGIA DE UMA DECLARAÇÃO

11

GERMÁN LERCHE, ENTÃO SECRETÁRIO das seleções, lembra a prévia do amistoso de 2013 em Roma, com a Itália, em homenagem ao papa Francisco:

> Fomos ao Vaticano, ao Vaticano! Isso gerou a revolução de sempre. A Guarda Suíça nunca se mexe. Mas, com Messi, foi diferente. Imaginem as nossas escoltas oficiais aceleradas... Tão rígidos sempre, mas com ele giravam a cabeça para vê-lo passar.

Mariano Andújar esteve na equipe que jogou um amistoso que eles perderam durante o ciclo Sabella:

> Em 2011, fomos a Bangladesh enfrentar a Nigéria. Eu pensava que ninguém ia nos conhecer. Mas, quando chegamos à capital, Dhaka, havia milhares de pessoas no aeroporto; em cada viagem com o ônibus pela cidade, tinham que fechar os cruzamentos. Tudo isso por Leo, lógico. Ninguém procurava o restante.

Outra em Bangladesh: em junho de 2020, 15 pessoas receberam multa por infringir as normas da quarentena decretadas em plena pandemia do coronavírus. Em um restaurante localizado em Chuadanga, tinham se reunido para esperar que desse meia-noite para celebrar o aniversário do Messi.

Juan Carlos Crespi, outro dos dirigentes que tinham afinidade com a seleção, viveu os bastidores de um jogo em Costa Rica:

> Tinham vendido 35 mil ingressos. Todos esperavam que ele jogasse. Contudo, estava contundido. Ou, pelo menos, não estava em condições para se arriscar. O público assoviou durante os 90 minutos esperando que entrasse e nos xingaram quando o jogo terminou. Para compensar de alguma maneira, Julio Grondona, então presidente da AFA e dirigente da Conmebol, teve que convidar a Costa Rica para a Copa América do nosso país.

Claudio Tapia, que já era presidente da AFA, contou na revista *Rolling Stone* em junho de 2018:

> Com Leo vivi coisas que não vou viver por muitos anos. Quando fizemos um tour na China, as pessoas andavam na contramão nas escadas rolantes para tocá-lo. Os elevadores do hotel foram bloqueados, porque, durante as 24 horas do dia, tinha gente esperando dentro para passar perto dele. A pessoa que limpava as janelas do 20º. andar, pendurado pelo arnês, foi com um amigo para tentar tirar uma foto da janela.

Messi é um ídolo global por excelência. Sua aldeia não conhece fronteiras. É uma referência total da era em que já não é necessário ligar a televisão para saber o que antes estava coberto de certo mistério. Sua figura transcende a lógica de outros tempos.

A magia de Alfredo Di Stéfano se conhece fundamentalmente graças a alguns privilegiados que foram testemunhas. A era de Pelé parece contar um escasso material gravado existente. A de Maradona nasce ao lado do desenvolvimento das novas possibilidades tecnológicas. Já a de Messi se retroalimenta da modernização.

Joseph Blatter foi presidente da FIFA entre 1998 e 2005, período no qual a organização aproveitou a imagem do argentino:

Cronologia de uma declaração

> João Havelange dizia que devíamos expandir o futebol para além da América e da Europa. Se, no final da década de 1970, a televisão ajudou no desenvolvimento, nas décadas seguintes a transmissão dessas personalidades completou a divulgação. Messi foi um tremendo embaixador e agente de difusão. O futebol tem que lhe agradecer. Ele conquistou isso com seu 1,70 metro, a mesma altura que eu tenho. Bom, acredito ter perdido alguns centímetros nos últimos anos.

Há exemplos de sobra para teorizar que ele possivelmente seja o jogador de futebol mais querido de todos os tempos. O idolatrado em mais países. O reconhecido pela maior quantidade de lugares longínquos. Até a Copa América de 2019, no Brasil, comprovou essas hipóteses. O território inimigo também não ofereceu resistência.

No sábado, 15 de junho daquele ano, as arquibancadas tinham predominância das cores amarelas no estádio Arena Fonte Nova, em Salvador, Bahia. Misturavam-se antes da estreia da seleção argentina as camisetas da Colômbia, o rival, com as do Brasil, país anfitrião. Esperava-se que o ambiente fosse adverso. Embora fosse este o caso, houve uma exceção enquanto se faziam as apresentações das equipes nos alto-falantes do estádio: a explosão popular quando Lionel Messi foi mencionado.

No dia seguinte, o jornalista Sergio Maffei do jornal esportivo *Olé*, da Argentina, encontrou Fernanda chorando, uma menina brasileira que tinha se hospedado no mesmo hotel onde estava a seleção para conseguir aquilo que conseguiu, esbarrar com Leo: "Estudei castelhano porque imaginei que poderia vê-lo". Em outros locais, via-se com bastante frequência os pais com a camiseta do Brasil e os filhos, logicamente também brasileiros, com a camiseta da Argentina.

O jornalista Thiago Henrique de Morais nasceu em Belo Horizonte e mora em Brasília. O único vínculo que ele tem na vida com a Argentina é sua atração pelo futebol, tão grande que montou uma página na internet que se chama *futebolportenho.com*: "Também foi um jeito de canalizar minha raiva contra as manipulações da Confederação Brasileira, até que consegui entender que a AFA é igualzinha". Começando por aquela esquisita paixão pelo futebol argentino, o nome de Messi passou a fazer parte mais que qualquer outro em sua vida; o nome, literalmente:

> Eu brincava com minha a mulher que colocaria o nome Lionel em nosso filho, pois o Messi colocou o nome de Thiago no dele. No dia em que soube que seria pai, pensei nessa possibilidade somente pela admiração que tenho por ele. Tomei a decisão no dia em fez três gols em cima do Equador na classificação para a Copa do Mundo. Pode ser que seja uma bobagem como costumam falar vocês, mas assim o desejei. E peço expressamente que o chamem de Lionel, não Leonel, que é mais usado no Brasil.

Thiago, o pai de Lionel, explica o porquê da paixão por Messi no Brasil:

> Tem a ver com sua humildade e evidentemente com sua personalidade. Graças a ele, terminou aquele ódio geral dos brasileiros pelos argentinos. Hoje é normal ver pessoas comprando e vestindo camisetas da Argentina. A rivalidade voltou a ser forte com a Copa do Mundo de 2014 e mais ainda quando os argentinos cantavam o coro da torcida *"decime qué se siente"*. Mas o respeito por ele continua intacto.

Thiago não acredita que a amizade com Neymar tenha sido decisiva nesse processo. De fato, lembra de um antecedente que sucedeu antes da

Cronologia de uma declaração

sociedade dos sul-americanos no Barcelona: durante um 0x0 pelas eliminatórias, em Belo Horizonte, Messi foi ovacionado pelo público local.

A essa Copa América chegou um Messi diferente. Por um lado, um Messi mais focado na liderança; por outro, carregado de desconfiança. Ambas as faces se misturariam no decorrer da competição.

A comissão técnica estava preocupada que seus companheiros o venerassem. Assim o tinham notado no 1x3 preocupante perante a Venezuela durante um amistoso, três meses antes. "Eles o viam como se fosse um extraterrestre até quando dormia", confidenciou um achegado a Lionel Scaloni. Do (relativizado neste livro) "clube de amigos", a seleção tinha passado para o "clube dos fãs". Além de que o técnico tinha como única experiência ter sido ajudante de Jorge Sampaoli uns dois anos, sabia que o êxito de seu time, e de sua inesperada nomeação, nasceria da relação do melhor jogador do mundo com a nova camada, que não estava acostumada com aquela convivência. Se conseguiam obter harmonia na concentração, logo poderiam projetá-la naturalmente dentro do campo.

Ele explica com exemplos Alejandro Sabella, que também estava preocupado em criar um ambiente de normalidade diante dessa grande personalidade:

> Quando Neymar chegou ao Barcelona, passava todas as bolas para ele. Até que Messi lhe disse para que fosse ele mesmo. Nunca vai chegar à altura de Messi, mas foi Neymar. Aos que convivem pela vez primeira com Leo deve ser complicado ser companheiro dele até jogando truco: se você jogar com ele, pode fazê-lo perder; se você o enfrentar, pode ganhar. E ele não faz nada para que o outro tenha medo de passar algum tempo com ele. Simplesmente é Messi.

Todos os integrantes da delegação valorizaram a predisposição de Messi. Deixou de ser aquele que fora durante anos, aquele que acreditava que era suficiente falar somente com seus amigos, e passou a se preocupar em saber de cada um e fazê-los participantes das típicas brincadeiras de convivência e até cuidar dos parceiros dos *sparings*.[1]

Com certeza, terá entendido que deveria preencher espaços anteriormente usados por outros, como Javier Mascherano, que faz menção das virtudes que ele tem para liderar:

> Todos o escutam porque ele é quem é e por outra condição: não fala muito. Então, quando aparece, surpreende. Quando fala, fala bem alto e claro. Além disso é muito observador, fala na hora certa. Sempre o vimos como alguém de bom caráter. Um jogador que passa tantos anos no topo não tem como não ter uma grande personalidade. Acontece que antes ele não sentia a necessidade de demonstrá-lo, mas em situações internas se revelava.

Roberto Ayala era o capitão da seleção na estreia de Leo e hoje é o ajudante de Lionel Scaloni. "Na prévia dos jogos começou a se envolver e falar mais", assim o define. "Antes não era desse jeito. Hoje fala muito de futebol, de estratégias, se aproxima dos companheiros e aponta para o lugar onde devem ficar, para onde têm que ir ou a respeito das caraterísticas dos rivais".

Messi sempre foi reservado. "Nunca precisou se preocupar em aparecer, basicamente porque nunca se interessou por isso", algo sobre o qual concordam tanto aqueles que estiveram por perto dele como também os que não passaram de um cumprimento formal. Quieto, até chega a ser tímido, se limitava a estar em seu hábitat natural. Até mesmo fora do

---

[1] Na seleção, trata-se dos jogadores mais jovens que ajudam como time oposto nos treinos. [N. do T.]

Cronologia de uma declaração

campo, em seu ambiente mais íntimo, seus gostos não são extravagantes. A rotina e a comodidade são basicamente a marca entre os seus.

Leonardo Faccio escreveu em uma de suas biografias: *Messi, el chico que siempre llegaba tarde (y hoy es el primeiro)* [Messi, o garoto que sempre chegava atrasado (e hoje é o primeiro)]. Ali ficou claro, por exemplo, que a leitura não faz parte de seus *hobbies* favoritos. Faccio perguntou-lhe pelo livro que Guardiola lhe deu de presente: *Saber perder*, de David Trueba.

> "Comecei a ler porque ganhei dele", respondeu. Leu apenas alguns títulos, então soube que uma das personagens da novela era um jogador argentino que viaja até Espanha para jogar: "Não terminei o livro. Perguntei e me contaram."

Pouco expressivo e, como consequência, pouco carismático para com os demais, seduz os próximos pela simplicidade. Messi é um gênio e ao mesmo tempo um homem comum. A tentação de encontrar nele atitudes fora do comum não faz sentido. Em sua vida particular, não tem tantas particularidades mais que na vida de qualquer pessoa. O Super-homem se sente mais confortável na versão Clark Kent.

Em todo caso, seu caráter não o transforma em uma pessoa distante do contexto. Omar Souto, integrante do departamento de seleções da AFA, lembra:

> Certo dia, no prédio Ezeiza, apareceu um caminhão carregando motos, geladeiras e televisões. A ideia era montar um sorteio entre os que trabalhavam lá: jardineiros, garçons, o pessoal todo. Ele é que tinha organizado. Todos nós ficamos bravos quando ouvimos que o criticam.

Marcelo D'Andrea acrescenta: "Aconteceu uma duas vezes, sim, mas ele não gosta que seja comentado. Sempre pergunta em que pode ajudar".

Em 2004, Messi chegou pela primeira vez ao prédio das seleções. Viveu expectativas, ilusões, decepções, alegrias, sonhos, frustrações, revanches, dores. Em 2019, ganhou em liderança, mas paradoxalmente perdeu no futebol.

Enquanto cresceu em sua intervenção fora de campo, diminuiu seu peso dentro de campo. Nunca foi tão pouco determinante em um torneio com a seleção como nos quatro jogos iniciais dessa Copa América (os três da fase de grupos e a vitória contra a Venezuela pelas quartas de final). Como se não fosse compatível ser mais um na concentração com ser o diferente nos jogos, os companheiros o tiraram do pedestal imaginário e também o viram como humano dentro do campo. Conseguiram prescindir dele.

Sergio Agüero define aquelas sensações:

> Era uma nova etapa, com uma mudança importante, na qual começavam a se perfilar jogadores que seriam protagonistas no futuro. E nós, que éramos mais antigos, tínhamos que ajudar a entender o que significava vestir a camisa da seleção argentina, como fizeram outros conosco em um dado momento. Acompanhá-los, transmitir experiências, somar. No âmbito futebolístico, a diferença mais notável é que já somos mais velhos. E isso faz que o nosso jogo não seja o mesmo de antes, embora sempre com o mesmo compromisso.

Antes da semifinal, Messi não aparecia entre os 20 jogadores que mais tinham criado oportunidades naquela altura da Copa. Sem explosão, não podia apelar para o drible. Faltavam situações de gol. Apenas chutava nas cobranças de falta, nenhuma com perigo, e, em dois jogos,

Cronologia de uma declaração

contra o Paraguai e contra a Venezuela, sem nem sequer ter chutado com força suficiente para que a bola chegasse ao gol sem quicar antes. Scaloni resgatava uma virtude nele que ninguém teria imaginado ser própria do jogador: "Vestiu o uniforme de trabalho". Em pé, na formação antes do encontro perante a Venezuela, fez algo que nunca tinha feito em seus 133 jogos anteriores na seleção: cantou o hino nacional.

O rival na semifinal, no estádio Mineirão de Belo Horizonte, no dia 2 de julho, seria ninguém menos que o Brasil, ao que nunca tinha vencido em encontros oficiais da seleção principal. Embora, sim, tivesse feito gol em um de seus melhores chutes de canhota na Copa do Mundo Sub-20 de 2005, tinha definido em cima da hora em um amistoso em Doha em 2010 e feito três gols no lembrado 4x3 de 2012.

Além disso, seu rendimento no 3x0 do Sub-23 nos Jogos Olímpicos de Beijing, em 2008, tinha gerado um escarcéu político no país vizinho. Depois daquela partida em que Lula da Silva, o presidente mais votado na história democrática brasileira, comparou o Messi com os jogadores de seu país: "O melhor jogador do mundo perde a bola e sai atrás do rival; os nossos ficam de braços cruzados", Júlio Cesar, goleiro daquela seleção verde-amarela, respondeu: "Possivelmente seja melhor que Lula renuncie, que se torne cidadão argentino e quem sabe o Brasil melhore em algumas coisas".

Quem oferece sua versão sobre aquele Brasil x Argentina na semifinal de 2019 é Manuel Valdez, o bruxo Manuel, que tinha viajado a Quito para aquele 3x1 no Equador:

> Na noite anterior à partida, os brasileiros enviaram três bruxos ao estádio. Eles fazem trabalhos à noite. Messi estava com muitas dificuldades. Tentou e não parou de tentar, mas o gol estava fechado.

213

MESSI — O GÊNIO COMPLETO

Leo tinha preparado outra explicação extrafutebolística no sorteio da tabela da Copa. Imediatamente disse aos seus que parecia que estava armado a favor do local, que compartilhou o grupo com Venezuela, Peru e Bolívia. Chegou condicionado com essa ideia. Depois que a Argentina perdeu de 2x0 para o Brasil naquele que justamente foi seu melhor jogo, fazendo algumas jogadas de velocidade como na primeira parte de sua carreira, ele se abriu.

No vestiário, reuniu os companheiros para dizer: "Estou orgulhoso do que criamos. Parece que faz anos que estamos juntos. Obrigado por como passamos estes dias. E aproveitem: se chegaram até aqui, é porque vocês merecem". Também pedia para que não se expusessem em críticas ao juiz; faria isso ele mesmo de forma precisa. Nem o juiz equatoriano Roddy Zambrano, nem o uruguaio Leodán Gonzáles a cargo do VAR, tinham marcado um pênalti de Daniel Alves em Agüero na jogada anterior ao segundo gol. Tampouco tinham cobrado outro pênalti quando Arthur, o meio-campista brasileiro companheiro de Leo no Barcelona, chocou com Nicolás Otamendi em uma bola parada. Na zona mista, Messi se mostrou como nunca havia feito:

> Todas as barbaridades foram cobradas a favor deles. Houve pênaltis visíveis durante toda a Copa e hoje nem sequer consultaram o VAR. Tomara que a Conmebol faça alguma coisa, embora eu não acredite, porque o Brasil é quem controla tudo.

Ainda faltava a disputa pelo terceiro lugar contra o Chile, o carma da seleção nas duas últimas edições da Copa América. A Argentina ficou na frente do placar depois de um grande passe de Messi a seu amigo Agüero; não somente pelo nível coletivo como pelo nível do camisa 10, a Argentina ganharia de goleada. Contudo, depois de uma bola longa, Gary Medel, um

Cronologia de uma declaração

dos marcadores que já tinham feito sentir o rigor na primeira final em que se cruzaram, interrompeu licitamente o passe. O argentino o empurrou devagar em direção aos cartazes de publicidade e, quando Medel girou, o enfrentou antes que o zagueiro chileno o peitasse três vezes.

Foi uma ação que costuma ser punida com uma advertência para cada um, tendo em vista o jogo. Contudo, o juiz paraguaio Mario Díaz de Vivar expulsou os dois. Tendo o poder de rever a jogada pelo VAR, o peruano Diego Haro não voltou atrás. Ou melhor, marcou que se tratava de uma jogada digna de ser revisada, mas o outro não considerou dessa forma.

Foi o segundo cartão vermelho em toda sua trajetória. As duas vezes polêmicas; na realidade, ambas injustas. Uma, na época de um futebol mais artesanal; a outra, quando os juízes já contavam com uma ferramenta para ajudar.

Alejandro Domínguez, presidente da Conmebol, reconheceu no jornal esportivo *Olé* meses depois: "Os cartões vermelhos pareceram sem necessidade, evitáveis". Acrescenta agora: "Nesse momento, o VAR precisava de um tempo de adaptação dos juízes, que melhorariam à medida que somassem 'horas de voo' ".

Do outro lado do mundo, Markus Merk, o que primeiro expulsou Leo, admite: "Sempre fui um defensor das ajudas tecnológicas no futebol. No cartão vermelho que dei ao Messi contra a Hungria, se houvesse conseguido ver a jogada, logicamente teria me corrigido e feito a opção pelo cartão amarelo. O problema no uso das tecnologias são alguns parâmetros na implementação, o critério para utilizá-las".

Mario Díaz de Vivar é daqueles juízes que tentam conduzir o jogo com as rédeas curtas. Desse jeito, explicou a seus superiores seu rendimento em geral, e as expulsões em particular. Em um choque com antecedentes em encontros decisivos e, depois de algumas ofensas verbais, decidiu que aqueles que tivessem atitudes provocativas receberiam uma rápida punição. Díaz de Vivar tem certeza que viu o que escreveu no relatório: "Um golpe de ombro do Messi" que gerou a reação de Medel. Estava longe de ser uma agressão, mas o juiz quis atuar para que a partida não fugisse do controle. Paradoxalmente, dessa maneira escorregou por seus dedos a jogada mais polêmica.

Quando os jogadores argentinos voltaram ao vestiário depois do 2x1, Messi os cumprimentou e parabenizou, já pronto para ir embora. Ninguém pensou em pedir a ele que fosse à cerimônia de premiação pelo terceiro lugar. Teria sido em vão: tinha decidido não participar pela raiva que gerou a expulsão. Sua medalha pelo terceiro lugar foi entregue por Hugo Figueredo, diretor de Competições da Conmebol, a Jorge Miadosqui, secretário das seleções nacionais da AFA, que depois a entregou a Messi no vestiário.

Roberto Ayala reconheceu no jornal argentino *La Nación*, em abril de 2020:

> Devia ter lidado com isso de outra maneira; fez uma escolha ruim, mas estava muito irado, com batimentos cardíacos a mil por hora. A culpa principal foi da nossa equipe técnica. Deixamos escapar o que aconteceu na Copa do Brasil. Tínhamos que convencê-lo, por exemplo, de que era melhor subir para pegar a medalha pelo terceiro lugar.

Haveria mais. Da mesma forma que três anos antes, quando o anúncio da renúncia ofuscou a análise de outra final perdida, suas declarações fariam esquecer o jogo da seleção e o torneio normal da Argentina. Durante quinze anos, praticamente não teria deixado nenhum título que chamasse a atenção. Durante uma década e meia, foi

Cronologia de uma declaração

suficiente (e sobrou) em demonstrá-lo; não fez falta escutá-lo. Fez uma grande contribuição na era midiática com seu jogo, não com declarações. Em uma semana, mudou essa essência.

Dentro de um redemoinho de frases em sua roda de imprensa, sobressaíram "a corrupção e os juízes estragam o futebol" e "não podemos fazer parte desta corrupção". Todos, incluindo ele, concordaram que o cartão vermelho recebido estava relacionado com suas críticas anteriores. Não tinha provas, lógico.

O golpe fatal na Conmebol foi a palavra "corrupção". Alejandro Domínguez reconhece:

> A transparência e o rigor na gestão foram os dois pilares fundamentais do nosso projeto. Se tínhamos uma coisa clara quando chegamos em maio de 2016 era que queríamos quebrar radicalmente com o passado da organização, então marcado pelos constantes escândalos que envergonhavam a todos. Todos fomos conscientes do impacto que teriam as palavras de Lionel Messi.

Teria sido uma exposição quase infantil de Leo, própria de uma conversa entre amigos, sem medir as consequências; pode-se dizer até que foi sem pensar muito no que estava dizendo. Foi exposto de uma forma que quase nunca teve que desempenhar em sua carreira: o de porta-voz, basicamente o de líder. Causa e consequência do novo Messi: por um lado, liberado; por outro, sem executar as novas responsabilidades como especialista.

Sua suposta rebelião contra o poder, como era de esperar, melhoraria a consideração popular a respeito dele, mas também geraria uma punição como nunca tinham lhe dado.

O Tribunal de Disciplina da Conmebol suspendeu-lhe em um jogo por causa da expulsão. O veredito a respeito de suas declarações passou para a Comissão de Ética, que o excluiu nos três meses seguintes de competições da seleção. Em 23 de setembro a Agência de Notícias Argentinas revelou um documento interno da Conmebol muito crítico com Messi:

> Fomentou o ódio e o desapreço público pela entidade em todo mundo [...]. O dano moral e econômico que causou à imagem institucional é irreparável. Em nenhum momento, observamos uma atitude reflexiva no jogador. Pelo contrário, justifica suas palavras nos erros dos juízes e os nervos que gera uma partida de futebol, e sustenta que havia um erro de interpretação por parte da Unidade Disciplinar.

No dia 1º. de outubro, a Câmara de Apelações da Conmebol rejeitou o pedido de redução da punição a Messi. Era impossível que fosse acatado o pedido do jogador e de seus advogados: originalmente em plena deliberação, um dos integrantes do Tribunal de Disciplina da Conmebol queria impor uma punição de dois anos em vez de três meses.

Seu discurso se transformou em nova frustração. A Copa América tinha se convertido em seu nono torneio com a seleção principal sem poder coroar-se. Antes da Copa do Mundo de 2018, Martín Caparrós escreveu no *The New York Times*:

> Triunfará a justiça? Conseguirá finalmente o melhor jogador — do mundo ou da história — a única vitória que lhe falta? Ou será posto em seu monumento como uma personagem dramática, que conseguiu tudo, salvo o que realmente queria? Quem sabe sua história seja melhor: se ganha, ninguém terá mais nada para discutir; se não ganha, continuaremos debatendo, falando dele por muito tempo.

Cronologia de uma declaração

Ali ficava no seu monumento, com a certeza de que "não trocaria nada para ter o que não tenho", mas convencido de que "vão ter que me aguentar porque continuarei tentando".

Seu futebol voltou a mudar. Em meados de 2009, o desequilíbrio inicial deu lugar ao goleador de todos os tipos de recordes, sem perder a improvisação. Com os anos, transformou-se em um jogador conceitual do campo inteiro, que deixa a dúvida se se conformará com suas virtudes históricas.

Gabriel Milito, que o acompanha há mais de quinze anos, arrisca:

> Vai dar mais assistências, porque moderou sua ansiedade nos últimos anos e entende melhor para onde tocar a bola. Continuará passando por onde ninguém passa. Vamos continuar vendo-o driblar até o último dia. Além disso, ele não precisa correr muito. Poderá perder a velocidade em 40 metros, mas é mais rápido que ninguém em espaços reduzidos. Tem a faísca tão definida que não a perderá.

Tem uma questão pendente e cada vez menos chances de se redimir. Ainda assim, provavelmente na distância se valorize mais. O Kun Agüero, parceiro dentro e amigo fora de campo, fala em primeira pessoa tanto do singular como do plural:

> Contando a Copa de Juvenis que ganhamos, os Jogos Olímpicos que celebramos e as finais perdidas, fico com a ilusão que geramos. Fazia muito tempo que a Argentina não conseguia chegar às finais. E nós pudemos chegar a várias consecutivas. Doía muito não ter chegado lá? Lógico que sim. Mas, à medida que passam os anos, entendemos que era muito difícil chegar até onde conseguimos, e nós o fizemos. Com o tempo todos o veremos desse jeito.

Parecia sentir a obrigação de liderar. E levava essa prática aos trancos e barrancos. Ele se plantava diante de um rival e o expulsavam.

Fazia declarações e era sancionado. Pedia que Tite, o técnico brasileiro, ficasse calado. Enrolava-se com o uruguaio Edinson Cavani, um dos melhores atacantes do mundo. No limite da tensão se superava.

No Barcelona, seu ânimo competitivo o levou a pedir reforços em conversas particulares e a criticar as gestões truncadas nos microfones. A derrota o afunda, além de deixá-lo revoltado. Renunciou via fax, a carta documento que enviou para comunicar que estava saindo da instituição aonde tinha chegado duas décadas antes. Contudo, paralelamente continua sendo o ser humano mais conhecido do planeta, um jovem simples nascido em Rosário, que, de calção e chinelo, anunciou ao mundo que ficaria por amor. Ou por culpa, por não querer julgar o clube de sua vida. Outra vez, o meio-termo.

Agora Javier Mascherano tem outra ideia:

> Percebo que está aproveitando sua última etapa. Se continua indo para a seleção, é porque ele gosta. Absorve a pressão e marca o caminho. Tira aquilo que aprendeu. Sempre fomos nutridos por Ayala, Zanetti, Heinze e Verón. Mais cedo ou mais tarde, todos teremos que pendurar a chuteira, mas o desafio de cada um de nós é deixar a seleção melhor de como a encontramos.

Não fica mais irritado, simplesmente amadureceu — resume Jorge Messi a respeito do atual Lionel. — Percebeu que, como capitão, tem que exercer outra função. Antes, se acontecia alguma coisa, respondia o principal do elenco; agora ele é o cara. E não deixa passar uma contra os rivais. Adaptou-se bem à sua nova função na seleção.

Não existia nenhuma razão que explicasse o motivo de não ter conseguido erguer uma taça com a seleção principal. O futebol nem sempre é logico, os jogos decisivos muitas vezes se ganham ou se perdem

Cronologia de uma declaração

por detalhes. Muitas vezes, a seleção não teve estrutura que a mantivesse e a elevasse. Ou, quem sabe, os seus companheiros não estiveram à altura ou faltou uma direção mais sintonizada no banco de reservas. No restante, ele mesmo falhou naquele momento crucial.

O holandês Louis van Gaal foi lapidário em meados de 2019: "Gosto do Messi, suas estatísticas são assombrosas. Eu gosto! Mas não como jogador de equipe. Ele mesmo tem que se perguntar por que não ganhou mais Champions com o Barcelona". Com certeza, foi muito longe: um bom jogador melhora o time, o melhor permite se aproximar mais da vitória. Sim, é verdade que, à medida que ele se transformou na estrela que é, se tornou mais difícil unir o coletivo com o individual.

Em todo caso, mesmo com o manto de seu país, ao rei lhe falta a coroa. Dificilmente será um melhor jogador se a conquista; simplesmente vai se livrar do sonho que o condena. Talvez seja porque não o acompanhou "o Burruchaga que teve Maradona" ou porque uma frustração o levou mentalmente à seguinte. Justamente ele, obsessivo pela vitória; um apaixonado pelo jogo, mas, acima de tudo, pelo triunfo. Um jogador que poderia ter sido, sem essa obsessão, incrivelmente deslumbrante e que escolheu ser brilhantemente eficaz.

Messi e a seleção. A combinação incompleta.

À sua vida de superação e talento, de aparente paz e plenitude, lhe falta uma medalha. A esta altura, uma necessidade mais que um desejo.

Capítulo 12

A REALIZAÇÃO DE UM SONHO

12

A INTIMIDADE DE UM time é uma incógnita. O que fazem além da obrigação de treinar e de descansar, quantas conversas giram em torno do futebol, quem lidera e quem fica entediado são algumas dúvidas a que nós, jornalistas, nos encarregamos de responder com base em poucos dados e muitas suposições. Quando um jogador que é referência na seleção argentina faz um comentário que se destaca nos meios audiovisuais, digitais e gráficos, a pergunta que fica no ar é como essa mensagem é recebida pelos companheiros dele. Quer dizer, quando Lionel Messi disse, antes da Copa América de 2021, na solidão de uma coletiva de imprensa virtual, que "temos que partir para cima", muitos poderiam ter pensado que o restante dos jogadores o usaria como novo elemento de pressão. Alejandro "Papu" Gómez, duas semanas após o fim da Copa, com as lembranças latentes e as emoções à flor de pele, fez o seguinte relato: "A verdade? Não tinha a menor ideia de que havia dito aquilo".

Dificilmente Messi deixa um comentário a seus companheiros por meio da imprensa. Fez isso poucas vezes no Barcelona, ao perceber que lhes faltava ambição. Prefere alguma frase concreta cara a cara, sem retórica. Antes da Copa já tinha feito alguns desses comentários. No entanto, mais que qualquer outra conversa, o importante flutuava no vento. Não há um protagonista da seleção, na principal ou nas bases, que não fique repetindo que o clima era diferente. Que a sensação positiva foi uma constante. Sim, incomodou o fato de que o torneio fosse jogado no Brasil, logo depois de o governo argentino descartar a disputa em suas terras para não passar uma mensagem negativa, o que poderia dar a entender que estava relaxando em plena luta contra o coronavírus. No entanto, além dos achismos, os jogadores nunca pensaram em não participar da disputa.

> Em nenhum momento duvidaram. Além de ser uma motivação, isso representava para eles a possibilidade de estarem juntos novamente, depois de jogarem pouco em muito tempo. Então soubemos que aconteceria no Brasil e fui conversar com Leo. "Pode ser a última", disse-me. E eu respondi que esta seria "a sua". Quem jura é Claudio Tapia, presidente da Associação do Futebol Argentino. Messi mantém um bom relacionamento com ele. Assim como manteve com o presidente anterior, Julio Grondona, até mesmo com mais intimidade. Tapia simplesmente explica: "Sabe que não vou me aproveitar dele".

Criticado muitas vezes por se misturar com os jogadores, Tapia sempre quis ocupar esse lugar. Possivelmente foi o que o diferenciou dos outros candidatos para o cargo. "O que nos une é o amor pela camisa da seleção argentina, não tenho dúvidas."

Já definidas as sedes, a única coisa que importava para Messi era a logística. "A melhor ideia foi viajar ao Brasil para os jogos e voltar ao prédio Ezeiza para continuar com os treinos", pensa Jorge Miadosqui, secretário das seleções da AFA.

> Tanto ele como muitos de seus companheiros têm uma forte sensação de pertencer àquele lugar. Nos hotéis via-se a diferença, ficavam amarrados. Naquele lugar se soltavam, comemoravam os aniversários, tinham seus momentos.

Provavelmente, o segundo lugar onde passou mais tempo da sua vida nos últimos quinze anos seja o complexo de treinamento e concentração da AFA.

A realização de um sonho

Em uma dessas comemorações, Rodrigo de Paul deixou gravado nas redes que ganhariam a Copa no Brasil e contra o Brasil; em uma noite bem regada, podem acontecer todos os tipos de hipérboles:

> Todos sentíamos que uma coisa muito grande ia acontecer. Havia certa química desde o primeiro momento. E tudo o que acontecia usávamos para reforçar essas sensações. Certo dia, já não sabíamos o que jogar com os baralhos e eu lhes disse que a primeira carta que tiraria do maço seria um três de copas. Saiu o três de copas. Pulamos e nos abraçamos gritando: "É esta aqui! A Copa será nossa", ainda grita Alejandro Gómez.

Papu tinha sido companheiro de Messi naquele angustiante desfecho das eliminatórias para a Copa de 2018; era outro contexto, outro Lionel:

> Por um lado está o jogador. Único, com quem temos que deixar o ego que cada um traz de seu clube. Jogar ao lado dele tem suas facilidades e suas dificuldades. Você atira nele um entulho, e ele resolve o problema. Adoro fazer jogadas com o Messi; quando passamos a bola para ele, já sabemos que vai acontecer alguma coisa. Mas é preciso entrar na cabeça dele quando pega a bola. Além disso, não devemos gerar dificuldades para ele. Por outro lado, está a pessoa. Uma simplicidade incrível. Conhecia o Messi, agora conheci o Leo. Achou o local certo para se soltar de vez.

Possivelmente nessa intimidade está o principal mérito de Lionel Scaloni e de sua comissão técnica. Promoveu de todas as maneiras a formação de um grupo. Aquele bloqueio recorrente das gestões de Alejandro Sabella e Gerardo Martino, os técnicos anteriores, teve que se transformar em uma mistura harmônica entre os mais experientes que conduzissem os mais jovens para que não ficassem lá como meros coadjuvantes. Foi o que aconteceu. Não quer dizer que tiraram o Messi do pedestal. Simplesmente trocaram o pôster por uma foto do grupo com ele.

"Ficou marcada em nós uma frase do César Luis Menotti, ex-técnico da seleção argentina, quando tivemos uma reunião com ele", conta Roberto Ayala, um dos ajudantes de Scaloni. Lionel perguntou a ele pela gestão de egos e o jeito de encarar o relacionamento com os craques, que algumas vezes precisam ficar no banco de reservas. Menotti entende que a seleção "é um convite". Foi o que nos disse: "que ninguém é obrigado a vir. Que quem chega deve saber quais são as condições e compartilhar delas".

Lógico que, depois, teria que jogar futebol. Nos primeiros jogos, o time teve oscilou entre momentos deslumbrantes e outros bem duvidosos. No entanto, Messi mostrou um nível muito bom. Era como se não quisesse deixar passar sua décima oportunidade de se coroar com a seleção principal. Como se quisesse partir para cima.

Quando acreditávamos que tínhamos visto o melhor de sua carreira, ele brilhou como nunca, mais completo e constante. O debate passou a ser se este era seu melhor momento na seleção. Tinha sido extraordinário durante o ciclo de Sabella e teve uma excelente Copa América de 2016; na de 2007 voava e até daria para incluir, em uma análise detalhada, a primeira fase de grupos da Copa de 2010.

O interessante era que estava jogando aos 34 anos da mesma maneira que fazia muito tempo antes.

Participou da Copa com um número negativo. Nas 16 partidas que havia jogado pela batuta de Scaloni, fez 7 gols com um detalhe incrível: somando dois amistosos perante a frágil Nicarágua, 4 desses gols tinham sido de pênalti, e o restante, depois do rebote de outro pênalti. Na estreia contra o Chile, fez gol com uma cobrança de falta.

A realização de um sonho

No 1x0 contra o Uruguai, driblou umas 20 vezes e, no final, escondeu a bola para que nenhum rival pudesse tirá-la dele. Foi um dos melhores jogos da sua vida na seleção. No entanto, tinha que pagar outra dívida: já havia jogado 16 partidas com pontos, mas sem conseguir marcar com jogadas; somente somava pontos com a bola parada. Quebrou essa sequência no jogo seguinte, contra a Bolívia.

O 1x4 dessa noite não resultou em um trauma, mas em uma linda lembrança para o goleiro boliviano Carlos Lampe, que tinha passado uma temporada no Boca Juniors e logo depois no Vélez Sarsfield.

> Tinha pedido a ele que me desse sua camisa, mas não sabia se se lembraria do meu pedido. Ele me entregou sua camisa sem que eu voltasse a lembrá-lo e fomos para o vestiário abraçados. Fiquei com a imagem daquele momento para sempre.

O único dado de arquivo que existia dos dois havia acontecido quando o argentino lhe deu uma caneta no ano de 2016 com o jogo parado, algo incomum para o camisa 10. No entanto, Lampe se lembra dos detalhes daquele que guarda mais a história do que o jogo: "Messi é muito atencioso com quem quer cumprimentá-lo. No ano de 2015, jogamos um amistoso e fomos goleados por 7x0. Eu estava no banco de reservas, e ele entrou no segundo tempo. Eu olhava em sua direção para cumprimentá-lo, ele percebeu e fez um movimento assentindo com a cabeça. Antes do jogo da Copa América, conversamos por longo tempo. Ficamos preocupados com o estado do campo. Concordamos que, em relação ao que nos diziam, parecia melhor do que realmente era. De todo jeito, não o afetou muito".

O jogo pelas quartas de final foi mais tranquilo no resultado (3x0) que no próprio trâmite da partida. Foi contra o Equador e, de acordo com o que sentia Leo, pelo menos até que ele descesse ao vestiário, contra a arbitragem do brasileiro Wilton Sampaio. "Encarou-o já perto do final do primeiro tempo. Estava nervoso pelo jeito que estava apitando", relata Miadosqui. "Lionel Scaloni e Pablo Aimar repetiam a eles que não se preocupassem com o árbitro, que eles mesmos se encarregariam", acrescenta Ayala, que dispara a lembrança das suspeitas que teve o camisa 10 dois anos atrás. Sampaio não figurava entre os árbitros que preferiam não ser dirigidos, mas não deixava escapar os detalhes.

Para não perder o costume, perante o Equador fez outro gol de cobrança de falta. Uma cobrança que apresenta certa característica: Messi é valorizado pela sua humildade e é reconhecido por manter a discrição, mas, ao mesmo tempo, apresenta a prepotência daquele que se acha superior.

Não demonstra que é o melhor, mas sabe que é e é assim que age. Talvez haja uma cobrança de falta no finalzinho do jogo para um destro. Talvez haja um companheiro destro que a cobre bem. Mas ele finaliza de canhota — e a acerta no ângulo.

A semifinal contra a Colômbia representou o exemplo de que existem equipes que, mesmo sem ter o estilo vistoso de outras, geram uma identificação que as outras não conseguem. Nas quase três décadas em que a seleção argentina não conseguia títulos, muitas equipes tinham jogado melhor do que ela. Poucas tinham envolvido o público de forma tão genuína. É possível que, da Copa de 1990, passando pela de 2014, uma definição por pênaltis faça parte da paixão do torcedor argentino. Que o sofrimento traz empatia. Ou que a perseverança de Lionel Messi fez que o povo, sempre mais torcedor de seu time do que da seleção, se unisse em um só desejo.

A perfeição não apaixona muito, ainda menos se é com outras cores (a do Barcelona, nesse caso). Na época, alguma derrota com a camisa da seleção gerou críticas, justamente pela contraposição do que

A realização de um sonho

acontecia na Catalunha. O choro perante a frustração se aproximou. O que mais jogou na seleção, o que mais fez gols e o que mais deu assistências se converteu, sobretudo, naquele que mais tentou. A constância, de forma subliminar, dizia a todos que já era suficiente, que o merecia e que tinha que desejá-lo.

Além disso, na repetição de tentativas tinha deixado uma lição a ser aprendida, sem querer, logicamente. Ninguém pode esperar que seu filho tenha o talento do Messi. No entanto, é possível lembrá-lo de que Messi perdeu e voltou a perder, que ficou frustrado, mas tentou de novo. É aí que está o legado.

Além de tudo, contra a Colômbia, Messi terminou como pôde. No começo do segundo tempo, recebeu uma infração de Frank Fabra, que deixou seu calcanhar ensanguentado. Justamente o calcanhar, que pode mostrar nobreza, mas também é mitológico para os argentinos, desde que Diego Maradona aguentou um inchaço (e o mundo assistiu) durante a Copa de 1990. Para todos aqueles que gostam de forçar a imagem de um Messi com ares maradonianos, ali estava a imagem na perfeita medida (a meia branca, para que pudesse ressaltar o vermelho do sangue). Gostamos de acreditar.

Essa incorporação épica dos pampas foi ensaiada, também sem imaginar, uns meses antes. É bom poder trazer detalhes dessa história e abrir a porta para um homem que se mostrou chave. O nome dele é Sergio Fernández, que tem uma trajetória de um quarto de século como juiz federal e nunca teria sonhado em construir um capítulo importante na história do futebol argentino, muito além de sua tarefa no Tribunal de Disciplina da AFA.

> Tenho 63 anos. Não quero perder o lugar comum e me converter em um fanático. Mas com este rapaz perco todos os protocolos de comportamento — começa Fernández. — Na minha família,

> somos apaixonados pelo Lio. Com os meus filhos, um que tem a mesma idade dele e o outro que tem quatro anos a mais, viajamos algumas vezes para ver o Barcelona e conseguimos esbarrar com ele mais de uma vez, no estacionamento do clube, que é a maneira mais fácil.

Acontece que Fernández ingressou no circuito de colecionadores de camisas de clubes.

> É um universo especial, que tem até gestores e assessores. Há formas de saber se elas são verdadeiras ou falsas. Geralmente não vêm com a etiqueta onde está escrito que são de algodão e como lavá-las. Comecei a comprar no ano de 2009. Hoje posso dizer que tenho pelo menos 200 réplicas de camisetas do Messi, nenhuma repetida. E tenho três ou quatro que ele mesmo usou, além de três pares de chuteiras usadas por ele em alguma ocasião.

Os assessores, ao que parece, propõem a compra de determinada camisa. Negociações existem em todos os lugares; evidentemente é necessário saber como vender o produto. Ao juiz, muito sério na vida particular e, ainda que se mostre bastante extrovertido quando se trata de futebol, ofereceram-lhe uma camisa que tinha pertencido a Maradona.

> Primeiro uma do clube Argentinos Juniors, onde Diego iniciou sua carreira, mas não a consegui, porque me pediram 10 mil dólares. Também tinham me oferecido algumas do Napoli da Itália, mas nunca acreditei que fossem verdadeiras. No entanto, quando vi uma que ele havia usado em 1993 quando jogou no Newell's Old Boys, de Rosário, percebi que era original.

Fernández não pode saber com total certeza em qual jogo Maradona usou a camiseta que comprou. Possivelmente durante algumas destas cinco apresentações: no amistoso no Equador contra o Emelec, em

A realização de um sonho

sua estreia como profissional no campo do Independiente, contra o Gimnasia, em Rosário, contra o Boca Juniors na Bombonera, ou no seu último jogo, também amistoso perante o Vasco da Gama, do Rio de Janeiro. Nos outros dois encontros em que Diego jogou pelo Newell's Old Boys, sua camisa apresentava um detalhe todo especial: na metade vermelha estava estampado o nome Dalma, e à esquerda, Giannina, suas filhas mais velhas.

> Tive essa camiseta durante anos. Durante algumas viagens que fiz até Barcelona levei-a para que Lio pudesse vê-la, mas não consegui me encontrar com ele e a trouxe de volta. Até que soube que o encontraria antes de que viajasse para a Rússia na Copa do Mundo de 2018. Junto com alguns amigos conseguimos fazer que nos deixassem entrar no complexo Ezeiza. Era o momento. Eu queria presenteá-lo com algo especial. Agreguei um santinho de São Benito pelo nascimento de seu terceiro filho; eu já tinha dado brindes a Antonella (esposa de Messi) quando nasceram os outros dois filhos do casal. Saímos de lá tão empolgados que esquecemos o filho de um dos meus amigos no prédio.

Em 29 de maio de 2018, Sergio Fernández entregou a ele a camiseta e converteu-se, sem saber, na ponte de um dos momentos mais emocionantes da enciclopédia do esporte nacional. Nesses quinze segundos, gravados em um vídeo caseiro, pode-se ver um pequeno gesto de surpresa na cara de Leo ao desdobrar a camisa e ver o número 10, que resultaria na possibilidade da mais forte homenagem de uma estrela para outra.

Em 29 de novembro de 2020, exatos trinta meses depois que recebeu a camisa e quatro dias após a inesquecível notícia do falecimento de Maradona, Messi foi jogar no Camp Nou com a camiseta em que Diego havia transpirado em 1993.

> Como era pesada! O número estava costurado, era de plástico. Nada a ver com os atuais — finaliza Fernández. O restante é história. Ou história: Quando Leo converteu o quarto gol dos 4x0 em cima do Osasuna, da Espanha, depois de um lançamento de canhota meia-lua, cumpriu o ritual de cumprimentar cada um dos oitos companheiros que se aproximaram para cumprimentá-lo, ficou sozinho, fechou os olhos, enquanto tirava a camisa 10 do Barcelona, permitiu que todo mundo visse o número 10 da Newell's e beijou a ponta dos dedos de suas mãos para que a saudação chegasse ao céu.

Essa homenagem foi a mais emotiva e bonita de todas as realizadas. Aconteceu no momento em que todos procuravam um jeito de ser originais para lembrar o mais original de todos. Para isso, nada melhor do que voltarmos ao passado. Assim como explicou Damián Didonato na revista *Un Caño*:

> Lionel Messi nunca esteve tão perto do povo argentino como nesse instante. Esse jogador maravilhoso, mas ao mesmo tempo tão frio, robótico, foi mais um dos milhares que saíram às ruas, dos milhões que, como ele, choraram em silêncio. Ter jogado 90 minutos com essa camisa acrescenta seu suor de torcedor ao gesto; ignorar as publicações e as obrigações do tão mercantilizado futebol de hoje expõe o espírito de rebeldia dos representantes populares; e o mais importante: Diego teria adorado.

A relação, as analogias e as diferenças já foram destrinchadas nos capítulos anteriores. Fica simplesmente a assinatura de Santiago Solari no jornal italiano *La Gazzetta dello Sport*:

> Messi é um gênio, provavelmente o melhor futebolista de todos os tempos, ainda que fiquemos comparando com Diego Maradona, que nos fez chorar, rir, emocionar e esbravejar. Amamos Diego porque demonstrou sua vulnerabilidade e sua humanidade, mas, para chegar lá, pagou um preço muito alto com a própria vida. Não podemos culpar Messi por escolher outro rumo.

A realização de um sonho

Boa forma de retomar o caminho da Copa América de 2021.

Na terça-feira, 6 de julho, quando Emiliano Martínez conteve aqueles pênaltis, a final chegava com tudo.

> Se enfrentariam as seleções que seria a anfitriã e a que estava sendo. Aquela que era sedutora por causa de Messi, e a que desfrutava por causa de Neymar. Aquela que fazia 28 anos sem conquistar títulos e aquela que tinha sido coroada, nesse hiato, com 2 Copas do Mundo e 5 Copas América. Aquela que tinha perdido suas últimas 6 finais (4 delas com o camisa 10) e aquela que tinha vencido suas 7 últimas finais.

Brasil contra Argentina. A canarinho somava 26 jogos sem perder em competições sul-americanas oficiais, guardava na vitrine cada um dos troféus continentais disputados em seu país e somente tinha sido derrotada em um jogo decisivo em suas terras na final da Copa do Mundo de 1950 contra o Uruguai, naquele mítico Maracanaço. A final da Copa América seria jogada no sábado, 10 de julho, novamente no Maracanã. A final dos sonhos. Ou do pesadelo.

Existe uma frase recorrente em cada um dos integrantes da seleção. Ninguém falou antes do efeito que poderia produzir uma derrota. Ainda flutuava no ar o otimismo. Relembra Miadosqui: "Desde o começo estavam focados no que definiriam o torneio contra o Brasil". Tapia, presidente da AFA, surpreende: "No dia anterior, tiramos uma foto todos juntos e postamos nas redes sociais. Leo a pediu. Ele disse: 'Vamos tirar essa foto agora porque amanhã seremos campeões' ".

Não foi a única frase do camisa 10 que ficou gravada. O jogador que não tinha conseguido preencher o discurso motivacional em seu primeiro dia como capitão, de acordo com todos, emocionou. Aquele que não estava acostumado a enviar mensagens para mobilizar as pessoas porque o jogo bastava para ele deu um tiro certeiro. Papu Gómez lembra com clareza:

> É zero vende-fumaça. Zero. Em algumas oportunidades tinha dito a todos nós durante o mês em que estivemos juntos. Mas, na noite da final, nos emocionou. Nós já sabíamos o que significava para ele, mas nessa hora explicou o que isso representaria para todos nós. Não poderia repetir suas palavras. Só que todo mundo acabou chorando.

Lisandro Martínez, reserva de luxo da seleção argentina, não duvida: "Quando terminou de falar, queríamos devorar o campo".

Roberto Fabián Ayala, seu primeiro capitão, que o conheceu tímido e o viu crescer, teve o mesmo sentimento:

> Seu discurso foi tremendo. Falou continuamente do grupo, do coletivo; não fez nenhuma referência àquilo que particularmente ele sentia. Falou para todos: aos que estavam com ele há muito tempo, aos que foram chegando depois, aos que ajudaram a equipe de alguma forma. "Esta Copa ia ser realizada no nosso país. Agora vamos decidi-la no Brasil e contra o Brasil. Alguém não gostaria de estar aqui"? perguntou a eles. Saiu tudo do mais profundo. São momentos exclusivos dos jogadores, mas, naquele dia, os integrantes do corpo técnico ficaram próximos. Olhamos uns para os outros e nos vimos da mesma forma. Morríamos de vontade de entrar e jogar.

Fisicamente, tinha mais coração que pernas.

E isso ainda que Marcelo D'Andrea, seu massagista de sempre, relativize:

> Não estava contundido, somente teve aquela pancada no calcanhar. Às vezes, ele toca na zona posterior da coxa porque tem uma

A realização de um sonho

> cicatriz de uma antiga lesão e, quando está muito saturado, sente que o incomoda. Então, temos que afrouxar a região e pronto.

Seu rendimento esteve muito abaixo do nível de outras finais. No entanto, teve "seu" Burruchaga.[1] Teve o que todo jogador sensível e não tão sensível também espera: sua noite de redenção.

Depois de ter falado a Ángel Di María que teria a revanche que merecia, depois de ajudar mais na marcação do que deixar fluir sua inspiração no próprio andamento do jogo, de desmontar-se quando o goleiro Ederson poderia ter ficado despejado e ele conseguir fazer o gol da definição, de pedir a bola nos últimos minutos muitas vezes, mas já sem forças até para dar o último passe preciso da noite, depois de tudo isso e depois de ter lidado, com toda certeza, com uma infinidade de sensações que cruzam a mente até do jogador mais concentrado, Lionel Andrés Messi ficou de joelhos e se quebrou. Derramaria outras lágrimas depois daquelas. Foi um momento, somente. As lágrimas caíram durante os quatro segundos que os seus companheiros demoraram para rodeá-lo e demonstrar que não era uma pose para os microfones aquilo de "queríamos o título mais por ele do que por nós". Ele se libertou. Como nunca.

No seu rosto desenhou-se um sorriso que o preparava para a longa noite de celebrações que lhe trouxe lembranças da Copa do Mundo Sub-20, em 2005, da semifinal contra a Holanda, em 2014, e de quais outras? Que outra vitória das 90 conseguidas com a camisa da seleção argentina tinha gerado mais alegria, entusiasmo e não somente alívio? Foi o goleador da Copa (4), o que deu mais assistências (5) e o que mais driblou. O mais importante, porém, foi exorcizar o passado.

---

[1] Jorge Luis Burruchaga, jogava junto com Maradona na seleção e foi quem fez o gol na final de 1986, depois de receber um passe dele. [N. do T.]

Ele riu com todos. Brincou com a taça antes de erguê-la. Encontrou-se com Lionel Scaloni para algo que, durante anos, foi mais um crédito do que um abraço. Procurou Pablo Aimar, outro dos ajudantes de campo, aquele que foi sua referência no futebol quando criança. Voltou a se emocionar quando viu sua família na tela do celular, ainda sentado na grama do Maracanã. Fez uma *selfie* dele mesmo cantando "é um sentimento, não tentem entendê-lo". E continuou efusivo nas redes quando estavam voltando para casa, emotivo como nunca.

Com certeza, ele teria feito um parêntese caso se produzisse um encontro com o presidente da Argentina, Alberto Fernández, que cancelou a visita ao time. Assim escreveu o jornalista esportivo Ezequiel Scher em *Cenital*:

> Foge de qualquer político. Seja ele quem for: Cristina Kirchner, quando recebeu o elenco que foi vice-campeão no Brasil, em 2014; Mauricio Macri, a quem fez esperar na sala de jantar do prédio da AFA, e o cumprimentou — estando de chinelo e meião e sem dar bola para o *tablet* em que o ex-presidente queria mostrar um gol de cobrança de falta feito na Quinta de Olivos —, somente quando todos os companheiros estavam ajeitados para tirar a foto antes de viajar para a Rússia, em 2018.

Messi, "esse jogador que durante tanto tempo no Pro Evolution Soccer tinha menos pontuação quando vestia a camisa da Argentina do que vestindo a do Barcelona", como bem lembrou Sebastián Fest em seu livro *Ni Rey Ni D10s* [Nem rei nem Deus], comemorou na seleção argentina como nunca o tinha feito no Barcelona. Aquele êxtase da exceção contra o bem-estar do que em algum momento era habitual.

A realização de um sonho

Quis o destino (e Joan Laporta) que essa ideia se fechasse quando voltou para a Espanha.

Após as três semanas de férias programadas, chegou a Barcelona para assinar o novo contrato, conforme havia acertado durante a Copa, e enfrentar a última etapa de sua trajetória. No entanto, a máquina continuou seu caminho de humanização, agora de forma involuntária: foi mandado embora de seu emprego. Quando quis ir embora, teve de ficar, pois não queria processar o clube de toda a sua vida. Quando quis ficar, teve que sair.

O Barcelona comunicou a ele que não poderiam renovar. Já haviam passado vinte e um anos naquela cidade, 35 títulos, 778 jogos e 672 gols. Os seguintes dados não foram introduzidos nas contas danificadas: era o sétimo clube que mais faturava em 2014, quando Messi fez sua estreia no time principal, e daí em diante passou a ser o jogador que mais faturou até o ano de 2019, o último ano da normalidade de ingressos no futebol. No ano mais agitado de sua vida, vieram dias frenéticos. Números esmagadores.

Tottenham Hotspur, da Inglaterra, Inter de Milão, da Itália, e Atlético de Madrid, da Espanha, o quiseram. No entanto, o Paris Saint-Germain, da França, o levou, o único com chances concretas.

Segundo Marcelo Gantman, o rastreio do voo particular da rota Barcelona-Paris chegou a somar uma audiência de 120 mil pessoas; sim, 120 mil pessoas assistindo em uma tela ao desenho de um avião que atravessava a Europa. O PSG detonou nas redes: 529 milhões de visualizações somente tendo como matéria os três dias de Messi com a atual camisa. A perseguição para ter informações e saber sobre a verdadeira dimensão desse ídolo global: os países mais interessados em ver seus vídeos no YouTube foram: Senegal, Gabão, Cuba, República Democrática do Congo e Mali. Muito mais do que isso, a essência. Depois do poder dos petrodólares (o dinheiro de Qatar é a explicação do poderio do PSG), do *tsunami* digital e da encenação, Messi saiu para jogar no campo do estádio Parque dos Príncipes com seus filhos. Superman, sempre vestido de Clark Kent.

Não foi uma Copa do Mundo, mas essa Copa América é o que mais se aproximou disso. Onze capítulos que nos conduzem a este último. Porque a felicidade é medida pelo caminho percorrido e porque toda a sua carreira foi condensada em um bimestre de 2021, o que incluía uma história curiosa.

Messi tinha sido campeão dias antes do Maracanã: no campeonato de truco interno entre 16 trios da delegação argentina, junto a Rodrigo de Paul e Leandro Paredes, seus novos companheiros no campo e no vestiário. Alejandro Sabella já tinha explicado o problema: "Se você jogar com ele, pode fazê-lo perder; se o enfrenta, pode ganhar". Jorge Miadosqui compartilha essa ideia: "Ele não faz nada para ser intimidante. Nada. Mas para muitos é. Os meus companheiros não passavam para ele nenhum sinal durante o jogo de truco".

Esta década e meia na seleção ficou refletida na Copa América de 2021. Sua personalidade. A crescente liderança.

Também assim o explica Marcelo D'Andrea, que o conhece bastante: "Foi como de costume. Agora não estão Javier Mascherano e companhia. Ele está mais velho. E simplesmente tomou conta dos lugares deixados pelos mais experientes".

A realização de um sonho

O Brasil foi seu rival no jogo decisivo, da mesma forma que em 2007 e 2019. Os companheiros reivindicaram muitos anteriores; alcançaram aquilo que pensava Lucas Biglia, por exemplo: "Quando poderemos lhe dar uma mão". Maradona onipresente, durante os meses anteriores à homenagem e na dedicatória de Leo. O reconhecimento no Brasil como reflexo do reconhecimento em qualquer canto do mundo. Sua mente fixada na vitória. Sua constância para conseguir. O gênio se completou. Não conseguiu ser o melhor jogador, somente atingiu o que mais queria. A canção agora tem letra e música.

O título escorregadio. Aquele que faltava a Messi. Aquele que faltava ao futebol.

AGRADECIMENTOS

A JE, POR SER cúmplice em tudo. A Andrés Burgo, Glenda Vieites, Guido Bercovich, Raúl Rivello, Kevin Romero.

Juan Pablo Belatti, Ezequiel Scher, Nicolás Novello, Victor Tujschinaider, Jorge Marinelli, Sebastián Fest, Sergio Maffei, Babis Tsibidas.

Daniel Chapela. Aos meus velhos, por me estimular e me formar.

A Abril e Santi: "Doidinhos lindos, agora podem usar o computador".

FONTES CONSULTADAS

Entrevistados

Gabriel Achiler

Sergio Agüero

Lautaro Formica

Pablo Alvarado

Mariano Andújar

Daniel Angelici

Martín Arévalo

Cristian González

Roberto Ayala

Sebastián Beccacece

Lucas Bernardi

Federico Fernández

Sergio Fernández

Fernando Gago

Héctor Gallo

Álex García

Alejandro Gómez

Humberto Grondona

Hannes Halldórsson

Luis Juez

Carlos Lampe

Germán Lerche

Lucas Biglia

Patricio Lara

Joseph Blatter

Gabriel Brazenas

Nicolás Burdisso

Wilfredo Caballero

Fabricio Coloccini

Juan Carlos Crespi

Hernán Crespo

Cristina Cubero

Marcelo D'Andrea

Gabriel Milito

Vicente del Bosque

Alejandro Domínguez

Héctor Domínguez

Fausto Pinto

Maximiliano Rodríguez

Alejandro Sabella

Ezequiel Scher

Diego Schwarztein

Luis Segura

Fernando Signorini

Antony Silva

Fabián Soldini

Omar Souto

Juan Pablo Sorín

Claudio Tapia

Hugo Tocalli

Lisandro López

Alejandro Mancuso

Miguel Marotti

Javier Mascherano

Lothar Matthäus

Markus Merk

Jorge Messi

Jorge Miadosqui

Óliver Morazán

Martín Palermo

Alberto Pernas

Federico Todeschini

Guillermo Tofoni

Victor Tujschinaider

Alexándros Tzórvas

Oscar Ustari

Manuel Valdez

Daniel Valero

Vilmos Vanczák

Juan Sebastián Verón

Donato Villani

Claudio Vivas

Pablo Zabaleta

BIBLIOGRAFIA

AGUIRRE, Javier; SÁNCHES, Fernando; BLANCO, Eduardo. **Ucronías Argentinas**. Buenos Aires: Sudamericana, 2012.

FACCIO, Leonardo. **Messi**: el chico que siempre llegaba tarde (y hoy es el primero). Barcelona: Debate, 2011.

FEST, Sebastián; JUILLARD, Alexandre. **Ni rey ni D10s**. Lionel Messi. La verdadera historia del mejor. Buenos Aires: Sudamericana, 2013.

MARTÍNEZ, Julio; LAURADA, Héctor. **Generación Lio**. Buenos Aires: Ediciones Al Arco, 2018.

Esta obra foi composta em *Arno Pro*
e impressa por BMF Gráfica sobre papel
Pollen Natural 70 g/m² para Editora Hábito.